Oswald Loretz

PSALM 29

Kanaanäische El- und Baaltraditionen
in jüdischer Sicht

AKADEMISCHE BIBLIOTHEK

UGARITISCH–BIBLISCHE LITERATUR
(UBL)
Herausgegeben von Oswald Loretz

1. Oswald Loretz, Der Prolog des Jesaja-Buches (1,1 - 2,5). Ugaritologische und kolometrische Studien zum Jesaja-Buch, Band I, Altenberge 1984, 171 S., DM 49,80. ISBN 3-88733-054-4.

2. Oswald Loretz, Psalm 29. Kanaanäische El- und Baaltraditionen in jüdischer Sicht, Altenberge 1984, 168 S., DM 49,80. ISBN 3-88733-055-2.

Bestellungen an:

CIS-Verlag
Postfach 629
D-4770 Soest
Tel.: (02921) 14 116

Oswald Loretz

Psalm 29

Kanaanäische
El- und Baaltraditionen
in jüdischer Sicht

Ugaritisch-Biblische Literatur

Umschlag: Johannes Nawrath, Hamburg

Alle Rechte vorbehalten 1984
CIS-Verlag
Postfach 11 45
D 4417 Altenberge

Vertrieb und Auslieferung:
CIS-Verlag
Postfach 6 29
D 4770 Soest Tel. (02921) 1 41 16

ISBN 3-88733-055-2

Vorwort

In der Auseinandersetzung über die Beziehungen zwischen den Texten aus der altsyrischen Hafenstadt Ugarit - Ras Schamra und der Bibel kommt seit dem Jahr 1935 dem Hymnus Psalm 29 eine Schlüsselstellung zu. Im folgenden wird der Versuch unternommen, die seit 1935 zu Gunsten einer ugaritisch-kanaanäischen Herkunft von Ps 29 vorgetragenen Argumente zu überprüfen.

Für das Mitlesen der Korrektur danke ich J. Brühl.

Oswald Loretz

INHALT

KAPITEL 1

ASPEKTE DER FORSCHUNGSGESCHICHTE ZU PS 29

Die neuere Forschungsgeschichte zu Ps 29 gliedert sich in zwei deutlich voneinander unterscheidbare Phasen. Die erste reicht bis zum Jahre 1935, in der zum erstenmal die ug. Texte zur Interpretation dieses Liedes herangezogen worden sind. Die damals neu eröffnete Phase der Zusammenschau von Ps 29 mit den ug. Texten konnte bisher nicht zum Abschluß gebracht werden. Denn in wesentlichen Fragen, die den Aufbau des Textes und die Rolle der kanaanäischen Überlieferung im Lied betreffen, war bislang keine Einigung zu erreichen.

Der im Jahre 1935 feststellbare Umschwung zu einer von der Ugaristik bestimmten Periode der Auslegung von Ps 29 stellt nicht so sehr einen Bruch mit der wissenschaftlichen Tradition, sondern eine Weiterführung der vorangehenden Auseinandersetzungen auf einer erweiterten Basis dar.[1] Es ist deshalb vonnöten, auch die frühere Interpretation in die Diskussion einzubeziehen.

H. Gunkel bestimmte Ps 29 als urgewaltigen Hymnus auf Jahwe als den furchtbaren und erhabenen Donnergott, nachgeahmt im Gesang der Engel in Goethes Faust.[2] Die Gottesgestalt, der Donnergott, der über allen seinen Schrecknissen in erhabener Ruhe throne, umjubelt von der Bewunderung der himmlischen Geister, führe in sehr alte Zeit.[3] Da das Lied den Hermon nach phönizischem Sprachgebrauch "Sirion" nenne, werde es aus dem israelitischen Nordreich stammen. Auch dies würde nach H. Gunkel für sein hohes Alter sprechen.[4]

H. Gunkel hat auch bereits betont auf die Beeinflussung von Ps 29 durch außerisraelitische Literatur hingewiesen.[5] Er schreibt hierzu folgendes: "Darum vermeidet er es auch nicht, *die furcht-*

[1] Siehe hierzu grundsätzlich S. Mowinckel, Psalmenkritik zwischen 1900 und 1935 (1955.1976), 327-328.
[2] H. Gunkel, Psalmen (1929[4]), 122.
[3] H. Gunkel, Psalmen (1929[4]), 124; ders., Einleitung (1933), 32.69.73.80.
[4] H. Gunkel, Psalmen (1929[4]), 125; ders., Einleitung (1933), 90: "Beachtenswert ist, daß in den Liedern Ps 29 und 89,2.3.6-19 gerade das Mythologische so kraftvoll hervortritt, auch dies sicherlich ein Zeichen älterer Zeit."
[5] H. Gunkel, Einleitung (1933), 68-69.

bare Seite an Jahwe zu schildern, sondern hebt diese zuweilen sogar gewaltig hervor; man denke besonders an den machtvollen Donnerpsalm Ps 29 ... Ähnlich werden schon die Babylonier empfunden haben, in deren Hymnen auch die grausigen Eigenschaften der Götter hie und da und offenbar mit schaudernder Ehrfurcht besungen werden: 'Herr, der bei seinem Grimm seinesgleichen nicht hat, Herr, der durch sein Anstieren die Starken umstürzt, wer ist, der nicht von deiner Furchtbarkeit spräche' (P. Jensen KB VI 2 S. 28,6.12.28), vgl. KB VI 2 S. 73ff.99.115 u.a."[6]

H. Schmidt entnimmt im Anschluß an S. Mowinckel[7] aus Ps 29,10 Anhaltspunkte über die Zeit, für die diese Dichtung ursprünglich einmal im Gottesdienst geschaffen worden sei. Er schreibt: "Es ist das Fest der Jahreswende, das im alten Israel im Herbst begangen wurde, nach Abschluß der Ernte und Lese und vor dem Heraufziehen der neuen Regenzeit, die das in sechs dürren Monaten ausgedörrte Land mit neuem Leben erfüllt. Dieses Fest der Jahreswende muß im alten Israel als ein Fest der alljährlichen Thronbesteigung Jahwes gefeiert worden sein."[8] In Verbindung mit dem Neujahrsfest legen auch z.B. A.R. Johnson[9], J. Gray[10], T.N.D. Mettinger[11], in einem eingeschränkten Sinne auch P.C. Craigie[12] und S. Mittmann[13], das Lied aus.

Eine neue Situation führte dann 1935 H.L. Ginsberg mit seinem Vorschlag herbei, in Ps 29 eine Adaption eines phönizischen Hym-

---

[6] H. Gunkel, Einleitung (1933), 69; siehe ferner A. Jirku, AK (1923), 225; E. Podechard, Psautier I (1949), 139.

[7] S. Mowinckel, Psalmenstudien II (1922), 3.4.47-48.191.215.245.249; ders., PIW II (1962), 230.247.

[8] H. Schmidt, Psalmen (1934), 55.

[9] A.R. Johnson, SKAI (1967²), 62-64.

[10] J. Gray, BDRG (1979), 8.21.26-27.31 Anm. 78; 37.39-42.251-261.

[11] T.N.D. Mettinger, Dethronement (1982), 68.117.

[12] P.C. Craigie, Psalms 1-50 (1983), 245-246, bemerkt hierzu: "It might further be supposed that this hymn ... either originally or in its later usage, the psalm was used in conjunction with the so-called enthronement psalms ... At a later stage in the history of the psalm's use, it came to be a more general part of the resources for Israel's worship, though it was probably associated primarily with the Feast of Tabernacles."

[13] S. Mittmann, VT 28 (1978), 192-193, rückt das Lied in die Nähe der Thronbesteigungspsalmen.

nus zu sehen.[14] Er führt hier Vorschläge von H. Gunkel und S. Mowinckel, die diese bezüglich Ps 19A geäußert hatten[15], weiter und beschreibt diesen Vorgang der Übernahme durch die Israeliten mit folgenden Worten: "That the Twenty-Ninth Psalm is an adaptation of a Phoenician hymn is the conclusion upon which several clear lines of evidence converge."[16] H.L. Ginsberg suchte in diesem Zusammenhang auch die Frage zu beantworten, wie dieser "northern psalm" seinen Weg in die israelitische Liturgie habe finden können. Seine Gedanken sind die folgenden: "There is more than one possibility. It may have been introduced by David, who was on good terms with Tyre and Sidon and Hamath or by Solomon, who, besides having his Temple built by Phoenician craftsmen in Phoenician style, was noted for his liberal policy towards foreign women and cults, or by one of the dynasts of Samaria, to whom the same applies. Somehow the idea of a direct Phoenician influence in the period of the monarchy appeals to me more than the other: hence the title of this paper; but it would be rash to commit oneself at this stage."[17]

[14] H.L. Ginsberg, A Phoenician Hymn in the Psalter, ACIO 19 (1935.1938), 472-476; ders., Or 5 (1936), 180; ders., ErIs 9 (1969), 45.

[15] S. Mowinckel, Psalmenkritik zwischen 1900 und 1935 (1955.1976), 327-328, bemerkt hierzu folgendes: "Falls die Anregung zur Psalmendichtung und ihrer Stilmuster sich von den Kanaanäern herleiten, dann besteht natürlich auch die Möglichkeit, daß die Israeliter ältere kanaanäische Psalmen übernommen haben, die sie dann nach den Vorschriften des Jahwekultes umgestalteten. Daß man bezüglich des 'Sonnenhymnus' im Psalm 19A an diese Möglichkeit denken kann, ist sowohl von Gunkel (in seinem Kommentar) als auch vom Verfasser (in Psalmenstudien VI) behauptet worden. Daß H.L. Ginsberg sich berechtigt gefühlt hat, das gleiche vom Psalm 29 zu behaupten, ändert grundsätzlich nichts an der Tatsache, daß sich das Problem in dieser Form auch ohne Ugarit uns aufgedrängt haben würde, und zwar als Ergebnis der Entwicklung, die die Psalmenforschung schon einige Jahrzehnte vor den Ugaritfunden erreicht hatte."

[16] H.L. Ginsberg, A Phoenician Hymn in the Psalter, ACIO 19 (1935. 1938), 63; ders., The Rebellion and Death of Ba'lu, Or 5 (1936), 180 (Addenda), vermerkt: "I have demonstrated elsewhere by other evidence that the twenty-ninth psalm is ultimately descended from a North Canaanite hymn to the storm-god Baal or Hadad. This unexpected proof that its characteristic versification is also a good Old Canaanite heritage is a gratifying confirmation of my previous conclusions."

Diese neue Hypothese H.L. Ginsbergs über die Entstehung von
Ps 29 ist ganz auf der Entdeckung der Ugarit-Texte aufgebaut.[18]
Sie führte in der Folge zu einer Vielfalt von Auslegungen und Hy-
pothesen über das Verhältnis zwischen der ugaritisch-phönizischen
Vorlage von Ps 29 und deren biblischer Endgestalt.

Eine große Anzahl von Gelehrten erblickte in der Verwandtschaft zwischen ug. Texten und Ps 29 eine gesicherte Grundlage
für eine Frühdatierung, ja die Möglichkeit, in diesem israelitischen
Lied einen der ältesten Texte der Bibel zu sehen. D.N. Freedman
datiert z.B. Ps 29 ins 12. Jh. v. Chr.[19] Er geht bei seiner Festlegung
des Liedes von folgender Hypothese aus: "Nevertheless an effort
can and should be made to fix a date partly on the basis of his
stylistic criteria, and partly on the basis of the use of divine names.
With respect to the former, Psalm 29 employs repetitive parallelism to an extraordinary extent, comparable to both the Song of
the Sea and the Song of Deborah, perhaps with greater affinity for
the more elaborate patterns of the latter. With respect to divine
epithets, the picture is very similar, though here there is a closer
correlation with the Song of the Sea."[20]

D.N. Freedman findet in Übereinstimmung mit der Albright-
Schule in Ex 15 den ältesten Text der Bibel, den er ins 12. Jh. v.
Chr. datiert.[21] Er benützt diesen sicherlich nachexilischen Text[22]
als Maßstab für eine frühe Datierung von Ps 29.

---

[17] H.L. Ginsberg, ACIO 19 (1935. 1938), 475-476.

[18] H.L. Ginsberg, A Strand in the Cord of Hebraic Hymnody, ErIs 9(1969),
45, faßt seine Anschauung über die Herkunft von Ps 29 nochmals folgendermaßen zusammen: "Today the high antiquity of this hymn is admitted on all
hands. Note, then, the following features. YHWH resembles a Syrian Baal-
Hadad, riding the storm and uttering shattering peals of thunder. At the same
time, he bears the epithet of the head of the Ugaritian pantheon, 'king' (v.
10), and the divine beings ... are called upon to give honor to him by reason
of his (Baal-like) majesty ('oz)."

[19] D.N. Freedman, PPP (1980), 118; M. O'Connor, Hebrew Verse Structure
(1980), 163-165.178-185.

[20] D.N. Freedman, PPP (1980), 82; D.N. Freedman-C.F. Hyland, HTR 66
(1973), 256: "We may be confident that we have the hymn substantially as
it was composed for liturgical use in early Israel."

[21] D.N. Freedman, PPP (1980), 118; M. O'Connor, Hebrew Verse Structure
(1980), 163-165.178-185.

Eine gegenüber dem Vorschlag von D.N. Freedman weniger hohe Datierung ins 10. Jh. v. Chr. wird von mehreren Autoren vorgeschlagen.[23] Andere Interpreten belassen es bei allgemeineren Bemerkungen über den sehr alten oder archaischen Charakter von Ps 29.[24] W.F. Albright hat mit einer langen Entwicklung des Textes von einem archaischen Stadium[25] zur Endredaktion im 5.(?) Jh. v.Chr. gerechnet. Er schreibt: "In some Psalms such as 29, the text of which is very corrupt, it is quite impossible to tell what the date of the original composition may have been. I suspect that it passed through a number of different stages between Middle Bronze and its final redaction about the fifth(?) century B.C."[26]

Es fehlt auch nicht an einer Datierung von Ps 29 in die nachexilische Zeit[27], wobei betont wird, daß er sein Vorbild zweifellos in

---

[22] Siehe zu den Fragen der Datierung von Ex 15,1-18 u.a. T.C. Butler, "The Song of the Sea": Exodus 15:1-18: A Study in the Exegesis of Hebrew Poetry. Vanderbilt University Ph.D. 1971; O. Loretz, Schilfmeer- und Mirjamlied (Ex 15,16-18,21). UBL 3 (im Druck).

[23] A.A. Anderson, Psalms I (1972), 233, 10. Jh. v. Chr. "a reasonable estimate"; F.M. Cross, CMHE (1973), 152: "In its Israelite form it is no later than tenth Century B.C. and probably was borrowed in Solomonic times"; A.R. Johnson, SKAI (1967²), 62, frühe vorexilische Zeit; H.-J. Kraus, Psalmen (1978⁵), 70, schreibt: "Man möchte dazu neigen, Ps 29 als den ältesten Psalm zu bezeichnen und ihn in die vorkönigliche Zeit anzusetzen"; P.C. Craigie, Psalms 1-50 (1983), 246, 10./11. Jh. v.Chr.

[24] E. Podechard, Psautier I (1949), 138: "Aucun trait cependant dans le texte ne permet de fixer une date precise, mais il doit être rangé parmi le plus anciens du Psautier."; M. Dahood, Psalms I (1965), xxx, "Davidic period"; L. Jacquet, Psaumes I (1975), 636: "C'est l'une des pièces les plus archaïques du psautier, et, par conséquent, l'une de celles d'où l'élaboration factice du style anthologiques se trouve le plus sûrement exclue."; J.L. Cunchillos, Salmo 29 (1976), 183: "... en la primera época de Israel en Canaán ... Que después, en el culto organizado de la época monárquica, haya ocupado el lugar que le asigna Mowinckel u otros es posible y aún probable."; T.N.D. Mettinger, Dethronement (1982), 69.118-119.

[25] W.F. Albright, YGC (1968), 19: "The very archaic poem Psalm 29 ..."; 24: "... in such clearly archaic verse as Psalm 29 ...".

[26] W.F. Albright, YGC (1968), 222.

[27] M. Delcor, Les allusions à Alexandre le Grand dans Zach 9,1-8, VT 1 (1951), 121-123; R. Tournay, En marge d'une traduction des Psaumes, RB 63 (1956), 173-181; A. Deißler, Psalmen (1964), 120.

einem altkanaanäischen Gewitterhymnus auf den Wettergott Baal-Hadad habe.[28] Aus den Angaben über die Datierung von Ps 29 geht bereits hervor, daß die Autoren das Verhältnis zwischen Ps 29 und dessen kanaanäischer Vorlage differenziert, höchst unterschiedlich und zum Teil sogar widersprechend bestimmen. Wenn H.L. Ginsberg von einer Adaption eines kanaanäischen Hymnus spricht, dann nimmt er an, daß ein Baal-Hymnus relativ wenig verändert auf Jahwe übertragen worden sei.[29] Diese Deutung H.L. Ginsbergs wurde dahingehend ausgelegt, daß de facto nur der Name Baal durch den Jahwes ersetzt worden sei. F.M. Cross bemerkt z.B. folgendes: "Alongside these Canaanite traditions of the stormgod [= Ugarit-Texte] may be put the Canaanite hymn preserved in the Psalter, namely Psalm 29. H.L. Ginsberg in 1936 drew up conclusive evidence that Psalm 29 is an ancient Ba'l hymn, only slightly modified for use in the early cultus of Yahweh"[30] und "The revisions would include the substitution of 'Yahweh' for 'Ba'l' (which occasionally disturbs the meter slightly, and particularly the closing verse (v. 11)."[31]

Die These H.L. Ginsbergs wurde auch in eingeschränktem Sinne übernommen. H. Strauß hält es für sicher, daß Ps 29 nicht nur auf Grund der überall durchschlagenden Einzelbezüge, sondern auch im Gesamten der Vorstellungswelt des alten Orients entnommen sei. V. 3-10 gingen unmittelbar auf einen kanaanäischen Baalhymnus zurück, während V. 1f. entsprechende Vorbilder in der Vorstellung vom Gottkönig El inmitten seines himmlischen Thronrates aufweise.[32] Der Psalm sei demzufolge von den Israeliten konzipiert worden. Das Verhältnis von Ps 29 zur Vorlage wurde auch dahingehend bestimmt, daß eine direkte Abhängigkeit zwar außer Frage stehe, aber der Sinn derselben abgewandelt worden sei.[33]

Im Gegensatz zu H.L. Ginsberg dachte S. Mowinckel im Falle

---

[28] A. Deißler, Psalmen (1964), 120.

[29] Siehe Anm. 14.16-18.

[30] F.M. Cross, CMHE (1973), 151-152.

[31] F.M. Cross, CMHE (1973), 152 Anm. 23.

[32] H. Strauß, Zur Auslegung von Ps 29 auf dem Hintergrund seiner kanaanäischen Bezüge, ZAW 82 (1970), 98.

[33] E. Pax, Studien zur Theologie von Psalm 29, BZ 6 (1962), 99-100.

von Ps 29 nicht so sehr an eine relativ wenig veränderte Übertragung eines Baalhymnus auf den Jahwekult als an das Fortwirken einer Stiltradition. Es handle sich nicht um eine direkte literarische Übernahme. Der Psalm spreche von der wunderwirkenden, zerstörenden oder erschaffenden Stimme Jahwes in all ihren Erscheinungsformen und schließe deshalb mit der Erwähnung seines Siegesrufs über das Urmeer, über welches er seinen Thron errichtet habe, von wo er als König in alle Ewigkeit regiere und sein Volk Israel mit Frieden und allen Gütern segne. Wenn man V. 11 als spätere Hinzufügung ansehe, verkenne man die eigentliche Absicht des ganzen Psalms.[34]

W.H. Schmidt rechnet mit der Möglichkeit, daß der Psalm erst in Israel entstanden sei. Denn nur so sei das Zusammenfließen der El- und Baal-Traditionen zu verstehen.[35] Ebenso lassen auch B. Margalit[36] und J.L. Cunchillos[37] Ps 29 erst auf israelitischem Boden entstanden sein.

Die Beziehungen zwischen der ug.-kanaanäischen Literatur und Ps 29 suchte man auch mit Hilfe der anthologischen Methode zu erklären. Dieser Hypothese zufolge zeigt die Verwandtschaft des Liedes mit Stellen aus den prophetischen Schriften, daß traditionelle Themen aufgenommen worden seien, um die Kriegszüge Alexanders d.Gr. im Libanon und gegen Ägypten zu beschreiben, die Jahwes eschatologisches Gericht hervorrufen werden.[38]

Die Letztgestalt des Liedes wurde auch als Ergebnis einer Textmodernisierung[39] oder einer umfangreichen Erweiterung des

---

[34] S. Mowinckel, Psalmenkritik zwischen 1900 und 1935 (1955), 355 mit Anm. 50; siehe auch ders., PIW II (1962), 247.

[35] H.W. Schmidt, Königtum (1966[2]), 57-58.

[36] B. Margulis, The Canaanite Origin of Psalm 29 Reconsidered, Bib 51 (1970), 333.348, bestimmt Ps 29 als jahwistisches Werk — "both composer and composition are *ab origine* Yahwistic" —, das ab der zweiten Hälfte des 10. Jh. v.Chr., wahrscheinlich vor 800 v.Chr. entstanden sei.

[37] J.L. Cunchillos, Salmo 29 (1976), 29, schreibt hierzu: "... una composición israelita, pero con gran influencia cananea."

[38] M. Delcor, VT 1 (1951), 110-124; R. Tournay, RB 63 (1956), 173-181; A. Deißler, in: FS Junker (1961), 52-58; ders., Psalmen (1964), 120. Siehe zur Kritik an der anthologischen Methode u.a. J.L. Cunchillos, Salmo 29 (1976), 169-173.

[39] H. Cazelles, Une relecture du psaume XXIX? (1961), 119-128.

Textes[40] erklärt, so daß sowohl frühe Entstehung des Kernes als
auch die spätere Form des Liedes eine annehmbare Deutung finden.

C. Macholz hat den Vorschlag, in Ps 29 einen sekundär jahwi-
sierten "phönizischen Hymnus im Psalter", einen "kanaanäischen
Psalm im AT" zu sehen, eine reizvolle, aber nicht begründbare Vermutung genannt. Die Motive des 29. Psalms und ihre Parallelen in
anderen Psalmen seien am ungezwungensten so zu erklären, daß
hier wie dort "kanaanäische" Traditionen prägend seien.[41] Als
Entstehungs- und Überlieferungsort dieses Liedes sei Jerusalem
anzusehen, dies sei der Ort der Theophanie. Aus der Jerusalemer
Herkunft des Psalms erkläre sich auch, wieso in Ps 29 zwei Vorstellungsreihen zusammenständen, die sonst im kanaanäischen Bereich, besonders in den ug. Texten, kaum auf denselben Gott bezogen werden könnten. Man werde für die Traditionen von Jerusalem, und zwar schon des jebusitischen Jerusalem, mit einer Verschmelzung von Zügen Els und Baals bzw. Baalšamems zu rechnen
haben.[42] C. Macholz sieht die Entstehungsgeschichte von Ps 29
dann zusammenfassend so: "Der Jerusalemer Psalm 29 übernimmt
vielleicht einen ganzen jebusitischen Hymnus, jedenfalls aber einen
ganzen Traditionskomplex – nicht nur Einzelmotive! –, prägt
ihn um und legt ihn als Jahwe-Lob in den Mund Israels: so redet
man vom Erscheinen des Gottes; so kann, ja muß Israel vom Erscheinen Jahwes reden. Ps 29 ist eins von den vielen Beispielen für
den Sprachgewinn, den Israel (und nicht nur Israel) der Kontinuität des Kultes im von David eingenommenen und von Salomo ausgebauten Jerusalem verdankt."[43]

Eine verfeinerte Darstellung des Verhältnisses von Ps 29 zur kanaanäischen Tradition strebt auch P.C. Craigie in seinem Kommentar an.[44] Er wendet gegen die Erklärung H.L. Ginsbergs ein, daß

---

[40] S. Mittmann, Komposition und Redaktion von Psalm XXIX, VT 28
(1978), 190, rechnet V. 1bc. 2-5.8.9bc.10 zum Grundbestand, V. 6.7.9a.11
zu den Erweiterungen.
[41] C. Macholz, Psalm 29 und 1. Könige 19. Jahwes und Baals Theophanie,
in: FS Westermann (1980), 327.
[42] C. Macholz, in: FS Westermann (1980), 328-329.
[43] C. Macholz, in: FS Westermann (1980), 332.
[44] P.C. Craigie, Psalms 1-50 (1983), 243-246; siehe bereits ders., Psalm XXIX

bisher noch keine ug.-phönizischen Hymnen und Psalmen bekannt geworden seien, obwohl in einigen literarischen Texten von Ugarit hymnische Teile enthalten seien. Es bestünden ferner keine präzisen Parallelen zwischen Ps 29 und phönizischen oder ug. Texten. Er gelangt deshalb zu folgendem Ergebnis: "To summarize with respect to the Canaanite aspects of Ps 29: it is clear that there are sufficient parallels and similarities to require a Canaanite background to be taken into account in developing the interpretation of the psalm, but it is not clear that those parallels and similarities require one to posit a Canaanite/Phoenician original of Ps 29."[45]

In seiner Erläuterung des Verhältnisses von Ps 29 zur kanaanäischen Tradition übernimmt P.C. Craigie sodann von D.N. Freedman[46] die Hypothese, daß zwischen dem Meerlied Ex 15,1-18 und Ps 29 eine Kontinuität bestehe. Auf Grund der zahlreichen Berührungspunkte zwischen diesen Liedern gelangt er dann zu folgendem Schluß: "On the basis of these parallels it is suggested that Ps 29, like the Song of the Sea, must be interpreted initially as a *hymn of victory*."[47] Die Verbindung der Sturm-Terminologie mit Kriegspoesie sei nicht überraschend, da Wetter/Sturmgötter häufig auch Kriegsgötter seien, wie z.B. Baal im kanaanäischen Pantheon. Der Dichter von Ps 29 habe die Sturmbilder der Kriegspoesie zur Darstellung der "Stimme" Gottes als eines Echos des Kriegs- und Kampfgeschreis benützt. Die Anspielung von der mächtigen Stimme Jahwes her auf den schwächeren Donner Baals zeige, daß das Bild einer Schlacht als Sturm in einen verspottenden Psalm transformiert worden sei. Sein Argument lautet: "... the praise of the Lord, by virtue of being expressed in language and imagery associated with the Canaanite weather-god, Baal, taunts the weak deity of the defeated foes, namely the Canaanites. Thus, the poet has deliberately utilized Canaanite-type language and imagery in order to emphasize the Lord's strength and victory, in contrast to the weakness of the inimical Baal."[48]

---

in the Hebrew Poetic Tradition, VT 22 (1972), 143-151.

[45] P.C. Craigie, Psalms 1-50 (1983), 245.

[46] Siehe zu Anm. 20.21.

[47] P.C. Craigie, Psalms 1-50 (1983), 245.

[48] P.C. Craigie, Psalms 1-50 (1983), 246.

Nach P.C. Craigie wurde Ps 29 im 11./10. Jh. v.Chr. als allge-
meines Siegeslied geschaffen, das bei Siegesfeiern über kanaanäische Gegner gedient habe. Die Entwicklung von diesem ersten
"Sitz im Leben" zu einem späteren beschreibt er folgendermaßen:
"The initial setting for its use would have been in a victory celebration undertaken on the return of the army from battle or military campaign. At a later stage in the history of the psalm's use, it
came to be a more general part of the resources for Israel's worship, though it was probably associated primarily with the Feast of
Tabernacles."[49]
Wenn in der Diskussion seit dem Hinweis von H.L. Ginsberg
im Jahre 1935 auf den kanaanäischen Charakter von Ps 29 über
Einzelheiten und auch die wichtigsten grundlegenden Probleme
keine Einigung erreicht werden konnte, so blieb von diesem Zeit-
punkt ab doch die Erkenntnis über die Nähe von Ps 29 zu den ug.
Texten die treibende Kraft bei allen Versuchen einer Deutung und
Klärung dieses Phänomens.

Der Einbezug der ug. Texte in die Diskussion über Ps 29 hat die
grundlegende Voraussetzung der traditionellen Interpretation, daß
der Text dieses Liedes eine Einheit bilde, bislang nicht zu erschüttern vermocht.[50] Es wurde zwar das Nebeneinander von El- und
Baaltraditionen in Ps 29 vermerkt[51], aber aus diesen Differenzen
leitete man dann keine Folgerungen über Entstehung und Aufbau
des Textes ab. W.H. Schmidt entnimmt z.B. dem Nebeneinander
der Traditionen über El und Baal nur, daß Jahwe das Königtum Els
und Baals in sich vereinige, wobei der Hauptteil des Psalms deutlich auf Baal hinweise. Wenn nach den bisher veröffentlichten ug.
Mythen beide Vorstellungen nicht auf denselben Gott bezogen

---

[49] P.C. Craigie, Psalms 1-50 (1983), 246.
[50] D.N. Freedman-C.F. Hyland, Psalm 29: A Structural Analysis, HTR 66
(1973), 237, die H.L. Ginsberg grundsätzlich zustimmen, legen z.B. ihrer Interpretation von Ps 29 folgendes Prinzip zugrunde: "The present paper suggests that a structural analysis of the psalm not only supports the integrity
of the present text but also points to some complex and sophisticated techniques of Hebrew poetry."
[51] W.H. Schmidt, Königtum (1966²), 55-58; H. Strauß, ZAW 82 (1970), 98;
C. Macholz, in: FS Westermann (1980), 328-329.

werden konnten, dann stellt sich nach W.H. Schmidt die Frage, ob der Psalm erst in Israel entstanden sei oder ob gewisse Motive der El- und Baalvorstellungskreise schon vorisraelitisch, etwa in dem Jerusalemer Stadtgott El Eljon zusammengeflossen seien.[52] H. Strauß schreibt die Kombination der El- und Baalmotive in Ps 29 direkt einer innerisraelitischen, Jerusalemer Entwicklung zu.[53] Dieser Erklärung hat sich sodann C. Macholz insoweit angeschlossen, als er die Verschmelzung von Zügen Els und Baals bereits auf das jebusitische Jerusalem zurückführt.[54]

Während in diesen Erklärungen die Kombination der El- und Baalmotive in Ps 29 auf ein frühes Stadium israelitischer Entwicklung zurückgeführt wird, vernachlässigen andere diesen Aspekt vollständig und beachten nur den kolometrischen Aufbau. Die Störungen desselben werden entweder auf eine relecture, redaktionelle Zusätze[55] oder auf Verderbnisse in der Textüberlieferung zurückgeführt.[56] Von dieser Problemstellung her hat sich z.B. auch S. Mittmann die Aufgabe gestellt, hinter der heutigen Gestalt die verborgene Grundform des Liedes zu ermitteln, da die gegenwärtige Unform nur das Ergebnis sekundärer Störungen sein könne. Es sei jedoch methodisch falsch den überkommenen Textbestand umzuordnen und zu ergänzen, aber daß der Text selbst ergänzt sein könnte, wolle man nur ungern oder gar nicht eingestehen. Wie alle Literatur des Alten Testaments habe aber auch Ps 29 einen Redaktionsprozeß durchlaufen und dabei seine genuine Form eingebüßt.[57] Er gelangt von dieser Hypothese her zum Ergebnis, daß eine Reihe von Zusätzen die Urform des Liedes verdecke.[58]

Aus der Forschungsgeschichte dürfte sich seit dem Vergleich von Ps 29 mit den ug. Texten ergeben, daß grundsätzlich der In-

---

[52] W.H. Schmidt, Königtum (1966[2]), 57-58.

[53] H. Strauß, ZAW 82 (1970), 100.

[54] C. Macholz, in: FS Westermann (1980), 328-329.

[55] H. Cazelles, Une relecture du Psaume XXIX? (1961), 119-128.

[56] E. Vogt, Der Aufbau von Ps 29, Bib 41 (1960), 17-24, spricht von einer Wiederherstellung des Versbaues.

[57] S. Mittmann, Komposition und Redaktion von Psalm XXIX, VT 28 (1978), 173; so auch K. Seybold, TZ 36 (1980), 208-209.

[58] S. Mittmann, VT 28 (1978), 190, löst V. 6.7.9a.11 als Erweiterung des Grundbestandes aus dem Text heraus.

terpretation dieses Liedes eine dreifache Aufgabe gestellt ist: 1.
Klärung der kolometrischen Verhältnisse innerhalb von Ps 29;
2. Deutung des Nebeneinanders von El- und Baalmotiven in diesem
Lied, und 3. Aufhellung der Entstehungsgeschichte des Textes
unter Berücksichtigung von 1 und 2. Hierbei kommt der Annahme,
daß in Ps 29 ein einheitlicher Text vorliege, dessen Hauptteil der
Abschnitt mit der Baal-Tradition (V. 3-9) bilde[59], höchstens der
Wert einer Hypothese zu, die noch einer kritischen Überprüfung
bedarf.

---

[59] So z.B. W.H. Schmidt, Königtum (1966²), 57.

KAPITEL 2

PS 29 – KOLOMETRIE UND ÜBERSETZUNG

29.1.1.	[mzmwr l dwd]	[9]	[Ein Psalm Davids.]
29.1.2.	*hbw l JHWH bnj 'ljm*	15	Gebt Jahwe, ihr Göttersöhne,
29.1.3.	*hbw l JHWH kbwd w 'z*	15	gebt Jahwe Ehre und Macht,
29.2.1.	*hbw l JHWH kbwd šmw*	15	gebt Jahwe seines Namens Ehre!
29.2.2.	*hšthww l JHWH b* [hdrt] *qdš<w>*	15 <16>[19]	Fallt nieder vor Jahwe in 'seinem [Schmuck] Heiligtum,
29.3.1.	*qwl JHWH 'l h mjm*	13	Jahwes Donner über den Wassern,
29.3.2.	['l h kbwd hr'jm]	[12]	[Der herrliche Gott läßt donnern!]
29.3.3.	*JHWH 'l mjm rbjm*	13	Jahwe über gewaltigen Wassern!
29.4.1.	*qwl JHWH b kḥ*	10	Jahwes Donner mit Macht,
29.4.2.	*qwl JHWH b hdr*	11	Jahwes Donner mit Majestät!
29.5.1.	*qwl JHWH šbr 'rzjm*	15	Jahwes Donner zerschmettert die Zedern,
29.5.2.	*w jšbr* [JHWH 't] *'rzj h lbnwn*	15[21]	[Jahwe] zerschmettert Libanon-Zedern!
29.6.1.	[w jrqjd[m] kmw 'gl lbnwn	[17][[18]]	[Er macht [sie] den Libanon tanzen wie ein Kalb,
29.6.2.	w śrjwn kmw bn r'mjm]	[16]	und den Sirion wie einen jungen Wildstier!]
29.7.1.	[[qwl JHWH] ḥṣb . lhbwt 'š]	[10][[17]]	[[Jahwes Donner] Er bricht Feuerflammen aus!]
29.8.1.	*qwl JHWH jḥjl mdbr*	15	Jahwes Donner läßt die Wüste erbeben,
29.8.2.	*<w> jḥjl JHWH mdbr qdš*	15<16>	Jahwe läßt erbeben die Wüste von Qadeš,
29.9.1.	*qwl JHWH jḥwll 'jlwt*	17	Jahwes Donner 'entblößt' Eichen
29.9.2.	*w jḥśp <JHWH> j'rwt*	10<14>	und Jahwe entblößt Wälder.
29.9.3.	*w b hjklw* [klw] *'mr<w> kbwd*	14<15>[17]	und in seinem Tempel alle 'rufet': "Herrlichkeit!".

29.10.1. *JHWH l* <*ks'w*>	12[12]	Jahwe hat sich auf 'seinem
[mbwl] *jšb*	–	Thron' [auf der Sintflut]
		niedergelassen,
29.10.2. [w jšb] *JHWH mlk l 'wlm*	12[16]	[und er hat sich niedergelassen]
		Jahwe 'herrscht als König'
		für immer!

29.11.1. *JHWH 'z l 'mw jtn*	13	Jahwe gebe seinem Volke Stärke,
29.11.2. *JHWH jbrk* ['t 'mw]	13[18]	Jahwe segne [sein Volk]
b šlwm		mit Heil!

KAPITEL 3

KOLOMETRISCHE UND PHILOLOGISCHE EINZELBEMERKUNGEN

29.1.1.   Ein späterer Zusatz. H. Herkenne, Psalmen (1936), 124, plädierte für die Verfasserschaft Davids mit dem Argument, daß David, der als Hirt und in seinen Flüchtlingsjahren in engster Fühlung mit der Natur gestanden habe, recht gut der Schöpfer dieses Liedes sein könne.

29.1.2.   Die ersten vier Kola 29.1.2.–29.2.2. werden gerne auf -29.2.1. zwei Bikola verteilt, siehe z.B. H. Gunkel, Psalmen (1929⁴), 122; E. Vogt, Bib 41 (1960), 22; W.H. Schmidt, Königtum (1966²), 35; B. Margulis, Bib 51 (1970), 333; J. van der Ploeg, Psalmen I (1973), 189; L. Jacquet, Psaumes I (1975), 632; H.-J. Kraus, Psalmen I (1978⁵), 376; S. Mittmann, VT 28 (1978), 191; P.C. Craigie, Psalms 1-50 (1983), 242.[1] Dagegen faßt sie J. Gray, BDRG (1979), 40, als Tetrakolon zusammen und verweist auf KTU 1.2 IV 8-10. Ein Tetrakolon dürften auch J.L. Cunchillos, Salmo 29 (1976), 156-157, und R.J. Tournay, CiTo 106 (1979), 734-735, ansetzen. D.N. Freedman-C.F. Hyland, HTR 66 (1973), 240-241, fassen gleichfalls V. 1-2 als Einleitung zusammen[2] und verbinden diese mit dem Schluß. Sie schreiben hierzu: "The link between the Introduction and Conclusion is provided by vs. 9c, 'and in his palace everyone will say,' which complements vs. 2b, 'Prostrate yourselves before Yahwe

---

[1] Siehe ferner z.B. W.M.L. de Wette, Psalmen (1856⁵), 190; F. Delitzsch, Psalmen (1883⁴), 266; H. Hupfeld, Psalmen I (1888³), 442; F. Baethgen, Psalmen (1897²), 80; H. Keßler, Psalmen (1899), 63-64; R. Kittel, Psalmen (1914¹⁻²), 116; W. Staerk, Lyrik (1920²), 77; B. Duhm, Psalmen (1922²), 118; S. Landersdorfer, Psalmen (1922), 85; A. Bertholet, Psalmen (1923⁴), 151; H. Schmidt, Psalmen (1934), 53; H. Herkenne, Psalmen (1936), 124; B. Bonkamp, Psalmen (1949), 156; A. Caquot, Syria 33 (1956), 36; E.J. Kissane, Psalms (1964), 125.

[2] V. 1-2 gliedern ferner in ein Tetrakolon C.A. Briggs, Psalms I (1906), 251-252; W.O.E. Oesterley, Psalms (1939), 200; H. Cazelles, Une relecture du Psaume XXIX? (1961), 127.

in the holy place when he appears'. It locates the scene
of the divine assembly, and describes its response to the
manifestation of the supreme deity, which is indicated in
vs. 2b, and amplified in the main part of the poem, vss.
3-9. We hold, then, that vs. 9c, while belonging to the
main section of the poem, nevertheless serves as the tran-
sition from the Introduction to the Conclusion, which
constitutes the utterance referred to in vs. 9c." Für sich
dürfte H. Strauß, ZAW 82 (1970), 91.92, stehen, der aus
den ersten vier Kola des Liedes ein Trikolon bildet und
dies folgendermaßen rechtfertigt: "In den Versen 1aβ.1b
und 2a liegt deutlich ein eindrucksvoll geprägter, parallel
und verschränkt strukturierter dreigliedriger Aufruf zum
gottesdienstlichen Hymnus vor. Ist diese Grundform einmal erkannt, dann ist es weiterhin erlaubt, das erste *hbw*
(v. 1aβ vor Vokativ) als Zuruf interjektionell wiederzuge-
ben, um seine verbale Kraft ganz auf die folgenden Objek-
te zu richten." (a.a.O., S. 92).
F.M. Cross, CMHE (1973), 152.155, gliedert den Anfang
des Liedes in ein Trikolon und ein Monokolon.[3] Dagegen
fordert M. Dahood, Psalms I (1965), 175, für V. 1-2 ein
Trikolon und ein Bikolon.
Ausführlich hat sich S.E. Loewenstamm, The Expanded
Colon in Ugaritic and Biblical Verse (1980), 299-301, mit
V. 1-2 beschäftigt. Auch er versteht den Anfang des Liedes als ein Trikolon, das zu einem Tetrakolon erweitert
worden sei. Er verweist gleichfalls auf KTU 1.2 IV 8-9 als
ug. Parallele. In Ps 96,7-9 sei das letzte Kolon von seinem
ursprünglichen Ort entfernt.
Es wird damit von S.E. Loewenstamm und J. Gray die
Frage aufgeworfen, ob der ug. Text

[8] ht ibk [9] bʿlm	9	Siehe, deinen Feind, Baal,
ht ibk tmhṣ	9	siehe, deinen Feind sollst du schlagen,
ht tṣmt ṣrtk	10	siehe, du sollst vernichten deinen Gegner!

---

[3] Siehe ferner J. Wellhausen, Psalms (1898), 26; H. Strauß, ZAW 82 (1970),
91-92.94.

[10] tqḥ mlk ʻlmk 10 Du sollst übernehmen Sein ? Königtum,
drkt dt drdrk   11 deine Herrschaft für alle ... Geschlechter!

(KTU 1.2 IV 8-10)[4]

als Parallele zu V. 1-2 angeführt werden kann.
Wenn J. Gray, BDRG (1979, 40, ein Tetrakolon für den
Anfang von Ps 29 fordert, dann dürfte zu bemerken sein,
daß der von ihm als Parallele genannte ug. Text aus einem
Trikolon und einem Bikolon besteht, falls man nicht ge-
willt ist, ein Pentakolon anzusetzen. Eine genaue stilistische Parallele zu V. 1-2 liegt demnach kaum vor. S.E.
Loewenstamm, The Expanded Colon in Ugaritic and Biblical Verse (1980), 300-301, war deshalb gut beraten, als
er die Parallelität auf KTU 1.2 IV 8-9 beschränkte und
dann die Anfügung des vierten Kolons als eine innerhe-
bräische Entwicklung zu erweisen suchte. Eine Parallelität wird somit höchstens zwischen dem Trikolon KTU
1.2 IV 8-9 und dem dreimaligen *hbw* in 29.1.2.-29.2.1. in
Frage kommen. Von entscheidender Bedeutung für die
Beantwortung dieser Frage ist die Stellung von 29.2.2. innerhalb des ganzen Liedes.
Die Autoren schwanken damit bei 29.2.2. zwischen einer
Anbindung dieses Kolons an die vorangehenden drei, die
Verbindung desselben mit dem vorangehenden Kolon zu
einem Bikolon oder seiner Isolierung als eines Monoko-
lons. Im Gegensatz hierzu gehen wir im folgenden von der
Annahme aus, daß die Kola 29.2.2.+29.9.3. ein Bikolon
bilden, dessen Einheit durch den Einschub von 29.3.1.-
29.9.2. gestört worden ist, siehe zu 29.2.2.+29.9.3.
Von dieser Warte aus betrachtet besteht ein Vergleich von
29.1.2.-29.2.1. mit KTU 1.2 IV 8-9 zu Recht. Zugleich
wird auch deutlich, daß die Auflösung von 29.2.2. in ein
Enjambement durch M. Dahood − *ḥšthww l JHWH//b*

---

[4] H.L. Ginsberg, Or 5 (1936), 180, hat bereits von KTU 1.2 IV 8-9 die ersten
beiden Kola zum Vergleich herangezogen. Er schreibt: "But it did not strike
me at the time that in the first two lines of each of these passages practically
the same rhythm is present as in Ps 29:1,5,7 ... 8,10."

hdrt qdš 11//8 "Bow down to Yahweh//when the Holy
One appears" (Psalms I [1965], 174) nur möglich ist,
wenn *hdrt* als ursprünglich angesehen und vom Ug. her
erklärt wird. Aus KTU 1.2 IV 8-10, wo *tmhṣ//tṣmt* und
tqh als in sich verschiedene Tätigkeiten auch getrennten
poetischen Einheiten zugeordnet sind, die jedoch zusammen einen Geschehensablauf beschreiben, geht am ehesten hervor, daß auch das dreimalige *hbw* und das folgende einmalige *hšthw* stilistisch und sachlich Verschiedenes
besagen und deshalb zu unterscheidenden poetischen Einheiten zugehören.
Da keine Gründe für die Vermutung sprechen, daß zwischen 29.2.1. und 29.2.2. ein Teil des Textes ausgefallen
ist oder der Anfang des Liedes eine wesentliche Kürzung
der Vorlage aufweist (so W. Schließke, Gottessöhne
[1973], 49), wird anzunehmen sein, daß Ps 29 mit dem
Trikolon 29.1.2.-29.2.1. eingeleitet wird.
hbw "bringet" — HAL, S. 226-227: *hb* I; F.C. Fensham,
POTW 6 (1963), 87; J.L. Cunchillos, Salmo 29 (1976),
35-45; siehe ferner W. von Soden, Or 46 (1977), 197.
bnj 'ljm — siehe Kap. 6.
kbwd — siehe Kap. 7.

29.2.2.   Die Aufforderung *hšthww l JHWH b hdrt qdš* wird entwe-
+29.9.3. der mit 29.1.2.-29.2.1. zu einem Tetrakolon verbunden,
          mit 29.2.1. zu einem Bikolon zusammengeschlossen, als
          Monokolon für sich gestellt oder in ein Bikolon aufge-
          löst, siehe zu 29.1.2.-29.2.1.
          Die Analyse von 29.1.2.-29.2.1. hat ergeben, daß das Ko-
          lon 29.2.2. nicht mehr als Fortsetzung des Trikolons
          29.1.2.-29.2.1. gelten kann, sondern als Anfang einer neu-
          en poetischen Einheit zu werten ist.
          Im folgenden gehen wir mit D. Gualandi, Bib 39 (1958),
          482-483, von der Hypothese aus, daß die Kola
              29.2.2. *hšthww l JHWH b hdrt qdš*   19
              29.9.3. *w b hjklw klw 'mr kbwd*   17
          eine ursprüngliche Einheit bilden, die erst durch den Ein-
          schub von 29.3.1.-29.9.2. aufgelöst worden ist und die in

der Folge zu Änderungen in den isolierten Kola geführt hat.
Für diese Zusammenstellung der Kola 29.2.2. und 29.9.3. spricht nicht nur die Position des ersten Kolons, sondern auch die des zweiten im Lied.
Die isolierte Stellung des Kolons 29.9.3. innerhalb des jetzigen Textes von Ps 29 hat man auf verschiedene Weise zu beheben versucht. E. Vogt, Bib 41 ((1960), 20-21, bemerkt z.b., daß innerhalb der klar umrissenen Strophen mehrere Kola isoliert dastünden. V. 3b "der Gott der Herrlichkeit donnert" sei ganz sicher ein versprengtes Kolon, denn es unterbreche den klimaktischen Vers 3ac und sei hier zugleich überzählig, da die Strophe 3ac-4 ohne ihn vollständig sei. Weiter stehe V. 7 einsam zwischen den vollen Strophen V. 5-6 und V. 8-9ab. Das Gleiche gelte von V. 9c: "und in seinem Tempel " ruft man: Herrlichkeit!", denn es gehe ihm die Strophe V. 8-9ab voran und die Strophe V. 10-11 folge ihm. Fasse man diese Kola zusammen, so ergebe sich eine Strophe und zugleich ein inhaltlich zusammenhängendes, sinnvolles Ganzes:

7 Horch! Jahwe entzündet Flammen,
'es entzündet Jahwe Flammen' von Feuer.
3b Der Gott der Herrlichkeit donnert,
9c Und in seinem Tempel " ruft man: Herrlichkeit!"

(a.a.O., S. 21)
Der von E. Vogt vorgeschlagenen Lösung stimmt auch S. Mittmann, VT 28 (1978), 188-189.191, zu. Er begründet dies mit dem Hinweis, daß die Entsprechung der beiden Kola sowohl stilistisch als auch inhaltlich vollkommen sei: *'l h kbwd* lasse Donner erschallen *(hrʿjm),* und man respondiere *('mr)* mit dem Ruf *kbwd.* Es wird jedoch zu bemerken sein, daß 29.3.2. und 29.9.3. kein Bikolon mit einem PM ergeben. Denn weder die Verbformen *hrʿjm* und *'mr,* noch der Gottesname *'l h kbwd* und der Ausruf *kbwd* lassen sich nach den Regeln des PM einander zuordnen.
Eine in sich konsequente Lösung für die zwei isolierten Kola vertritt F.M. Cross, CMHE (1973), 152.154-155. Er

beläßt sie in ihrer jetzigen Position und ordnet sie als Mo-
nokola ein. Durch die Übersetzung von *b hdrt qdš* in
29.2.2. mit "(Yahweh who) appears in holiness"[5] und
der Lesung *b hjkl 'mr kbd* und Übersetzung "In his
temple (his) Glory appears" in 29.9.3. schafft er ohnehin
jede Gemeinsamkeit und Parallelität zwischen diesen Kola
beiseite. Seine Lesung ist jedoch mit einer unannehmba-
ren Deutung von *hdrt* in 29.2.2. und von *'mr* in 29.9.3.
verbunden. Denn *hdrt* kann weder vom Ug.[6], noch *'mr*
vom Ammoritischen[7] her gedeutet werden.

In dieser Erklärung wird außerdem die Differenz der El-
und Baaltraditionen in den Abschnitten V. 1-2.9-11 und
V. 3-9 aufgehoben. Das Geschehen des Gewitters und das
im himmlischen Tempel werden zu einer Einheit verbunden.

B. Margulis, Bib 51 (1970), 333-334.342.343, der das Kolon 29.2.2. mit 29.2.1. zu einem Bikolon zusammenfaßt,
deutet das reduzierte Kolon 29.9.3. — "deleting the se-
cond *kl* cluster as dittographic and reading the final *waw*
as initial *yod* of the following vocable" (a.a.O., S. 432) —
als eine liturgische Rubrik und poetisch als eine Anakru-
sis:

    w b hjklw [klw] <*j*> *'mr*   In His Temple one says:
    kbwd JHWH lm<*š*>*l jšb*   The 'Honour (-cloud)' of
                           Yahweh is enthroned

---

[5] D.N. Freedman-C.F. Hyland, HTR 66 (1973), 238.243-244, setzen gleichfalls ein Nomen *hdrt* "theophanic vision", "divine appearance" an, übersetzen
dann aber mit F.M. Cross *hdrt* als Verbform: "Prostrate yourselves before
Yahweh, when he appears in the Sanctuary." Hiermit wird die These verbunden, daß die Erscheinung Jahwes im himmlischen Tempel erfolge. Die Autoren schreiben: "Since the theophanic vision takes place in the heavenly temple where the *bny 'lm* are, it is reasonable to interpret *qdš* as parallel or com-
plementary to *hykl* in vs. 9c." Es ist jedoch kaum anzunehmen, daß eine
Theophanie im Himmel beschrieben wird. Denn dies stellt einen Widerspruch
in sich dar.

[6] Siehe zu *hdrt* Kap. 5.

[7] Siehe zu *'mr* J. Sanmartín, UF 5 (1973), 263-270; G. Del Olmo Lete, MLC
(1981), 514: *amr* I.

[w] *jšb* [JHWH] *mlk 'wlm* It will reign as king forever.
(a.a.O., S. 334-335).
D.N. Freedman - C.F. Hyland, HTR 66 (1973), 240,
stimmen diesem Vorschlag insoweit zu, als sie gleichfalls
kbwd an den Anfang von V. 10 stellen.
Auch in der von B. Margulis vorgenommenen Textanord-
nung wird die Hypothese zugrundegelegt, daß zwischen
den El- und Baaltraditionen in Ps 29 kein Unterschied bestehe, und in diesem Lied ein Stück "Canaanite *kābôd*-
theology centred around the royal cult of El" (a.a.O., S.
348) erhalten sei. Es gelingt ihm so zugleich, aus 29.9.3.
eine Datierung des Liedes nach der zweiten Hälfte des 10.
Jh. v.Chr. abzuleiten und es auf den Jerusalemer Kult als
Ort der Überlieferung zurückzuführen (a.a.O., S. 348).
Bei einer Analyse des Textes von 29.2.2.+29.9.3. haben
wir von der Erkenntnis auszugehen, daß in *hdrt* ein späterer Zusatz vorliegt, und daß anstelle von *qdš* mit GS *qdšw*
(BHSb) zu lesen ist. Wenn wir ferner in 29.9.3. das *klw*
als Dittographie auffassen (siehe hierzu u.a. M. Faulhaber,
BZ 2 [1904], 269; E. Vogt, Bib 41 [1960], 21 Anm. 1; B.
Margulis, Bib 51 [1970], 334.342) und in *'mr* den Rest
eines ursprünglich zu *hšthww* parallelen Imperativs erkennen, dann erhalten wir folgendes parallel strukturiertes
Bikolon

29.2.2. *hšthww l JHWH b* [hdrt] *qdš*<*w*> 15<16>[19]
29.9.3. *w b hjklw* [klw] *'mr*<*w*> *kbwd* 14<15>[17]

mit folgenden parallelen Wortpaaren: *hšthww*//*'mr*<*w*>
und *b qdš*<*w*>//*b hjklw*. Allein von der Kolometrie her
wird so deutlich, daß das Leitwort *kbwd* in Ps 29 nur
auf den Grundtext 29.1.2.-29.2.2.+29.9.3.-29.11.2. beschränkt ist, aber im eingeschobenen Baal-Jahwe-Text
29.3.1.-29.9.2. fehlt und nur in 29.3.2. im Rahmen einer
Glosse sekundär eingeschoben wurde.[8]
Desgleichen geht aus dem Zusammenschluß von 29.2.2.+
29.9.3. auch mit genügender Klarheit hervor, daß mit
dem Wortpaar *b qdš*<*w*>//*b hjklw* "in 'seinem' Heilig-

---

[8] Siehe zu *kbwd* in Ps 29 die Ausführungen in Kap. 7.

tum"//"in seinem Tempel" das in 29.1.2.-29.2.1. und
29.10.1.-29.10.2. vorausgesetzte himmlische Heiligtum
Jahwes bezeichnet wird[9], jedoch nicht der Tempel zu
Jerusalem[10] oder eine Verbindung zwischen dem himmlischen und dem irdischen Jerusalemer Tempel angedeu-
tet sein soll[11]. Eine Beziehung zwischen dem himmlischen und dem irdischen Tempel ist nur insoweit gegeben, als der himmlische König auch seinem Volk im irdischen Heiligtum Macht gibt (V. 11).[12]

29.3.1.   Dieser Abschnitt ist als späterer Zusatz zum Lied 29.1.2.-
-29.9.2. 29.2.2.+29.9.3.-29.11.2. anzusehen. Es dürfte deshalb
nicht zulässig sein, stilistische, kolometrische und inhaltliche Momente ohne Vorbehalte direkt von der einen
Textgruppe auf die andere zu übertragen; vgl. dagegen die
Argumentation z.B. bei E. Vogt, Bib 41 (1960), 17-24; B.
Margulis, Bib 51 (1970), 332-348; S. Mittmann, VT 28
(1978), 172-194.

29.3.1.   Der offensichtlich den parallelen Aufbau des Bikolon
-29.3.3. 29.3.1.+29.3.3. störende Zusatz 29.3.2. wird von den

[9] H. Cazelles, Une relecture du Psaume XXIX? (1961), 124, bezieht *hjklw* auf
den mythischen Baal-Tempel. Er schreibt: "Le *hékal* est la grande maison (É.
KAL du sumérien), le palais-temple de la divinité sur sa montagne du Nord,
tel Baal au mont Casios." Er übersieht hierbei, daß die Baal-Thematik auf
29.3.1.-29.9.2. beschränkt ist; J. Gray, BRDG (1979), 40, bemerkt hierzu
gleichfalls: "The reference to the acclamation of God in His temple *(hēkālô)*
in V. 9 is equally significant in view of the 'house' of Baal as signalizing his
apogee in the Ugaritic text."; siehe ferner E. Vogt, Bib 41 (1960), 21.23; J.L.
Cunchillos, Salmo 29 (1976), 108; M. Haag, ZDPV 93 (1977), 88; D.N.
Freedman-C.F. Hyland, HTR 66 (1978), 243-244.
[10] B. Margulis, Bib 51 (1970), 343, benützt diese Angabe zur Datierung des
Liedes: "The reference to 'His Temple' is assuredly the Jerusalem Temple of
Solomon ... and establishes the latter's reign as the *terminus a quo* for the ru-
bric (at the least) and probably for the composition as a whole."; P.C. Craigie,
Psalms 1-50 (1983), 248; J.P. Brown, The Lebanon and Phoenicia I (1969),
115, denkt an einen Tempel über der Flut, einen "maritime Tempel".
[11] A. Deißler, in: FS Junker (1961), 55; W.H. Schmidt, Königtum (1966), 56;
Nic.H. Ridderbos, Psalmen (1972), 220 Anm. 10.
[12] E. Vogt, Bib 41 (1960), 24.

Kommentatoren unterschiedlich behandelt. J. Magne, Bib
39 (1958), 193, ordnet 29.3.2. vor 29.3.1. ein; so auch
M. Mannati, Psaumes I (1966), 278 Anm. 5. Mehrere
Autoren streichen dieses Kolon, so z.B. C.A. Briggs,
Psalms I (1906), 253; H. Gunkel, Psalmen (1929⁴), 125;
S. Landersdorfer, Psalmen (1922), 85, bemerkt hierzu:
"Eine in den Text geratene erklärende Notiz, die den Le-
ser aufmerksam machen will, daß es sich um den Donner
handelt."; W.O.E. Oesterley, Psalms (1939), 200; H.
Strauß, ZAW 82 (1970), 91.94; J. Jeremias, Theophanie
(1977²), 30 Anm. 3; C. Macholz, in: FS Westermann
(1980), 326 Anm. 3, nennt das Kolon eine Glosse,
welche *qwl JHWH* rationalisierend auf den meteorologi-
schen Begriff bringen wolle; andere ordnen es nach V. 7
ein, so z.B. A.A. Anderson, Psalms I (1972), 236; L.
Jacquet, Psaumes I (1975), 633.641; H.-J. Kraus, Psalmen
I (1978⁵), 377. Einige Interpreten verbinden es mit dem
Kolon 29.9.3., so z.B. E. Podechard, Psautier I (1949),
135; R. Tournay, RB 62 (1956), 173, ordnete das Kolon
vor V. 9c ein, hat diesen Vorschlag jedoch wieder zurück-
gezogen, siehe ders., CiTo 106 (1979), 736 Anm. 5; E.
Vogt, Bib 41 (1960), 21.23; S. Mittmann, VT 28 (1978),
188-189.191; D. Gualandi, Bib 39 (1958), 480, teilt V.
3 insgesamt auf zwei Kola auf: *qwl JHWH 'l h mjm 'l
h kbwd//hr'jm JHWH 'l mjm rbjm* (20//18). R.J. Tournay, CiTo 106 (1979), 734-736 mit Anm. 5, fordert jetzt
ein Bikolon mit den Längen 25//13 *qwl JHWH 'l h mjm
'l h kbwd hr'jm//JHWH 'l mjm rbjm.* I.W. Slotki, JTS 31
(1930), 187-188, hat das Kolon nicht nur beibehalten,
sondern das folgende noch durch ein zusätzliches *hr'jm*
erweitert. S. Mowinckel, Psalmenstudien II (1922), 47-48
mit Anm. 6, streicht *'l h kbwd* als Glosse und ergänzt mit
hr'jm ein *w jr'jm:* "Es donnerte die Stimme Jahwä's wider's Wasser, es donnerte Jahwä über'm mächtgen Meer;
[es dröhnte] die Stimme Jahwä's mit Macht, [es schallte]
die Stimme Jahwä's mit Gewalt." B. Margulis, Bib 51
(1970), 333-334.338, postuliert in V. 3 ein Trikolon:

qwl JHWH 'l hmjm	The voice of Yahweh is upon the water
'l hk bwd hr'jm	The God of 'the Honour(-cloud)' has thundered
JHWH 'l mjm rbjm	Yahweh upon mighty waters.

Auch F.M. Cross, CMHE (1973), 153.155, gliedert V. 3 in ein Trikolon, stellt jedoch die ersten zwei Kola um:

'l kbd hr'jm	The God of the Glory thunders,
ql jhw 'l mjm	The voice of Yahweh is on the Waters,
jhw 'l mjm rbm	Yahweh is upon the Deep Waters.

Desgleichen plädieren auch D.N. Freedman - C.F. Hyland, HTR 66 (1973), 238.247-248; J. Gray, BDRG (1979), 40, und P.C. Craigie, Psalms 1-50 (1983), 242, für ein Trikolon.

Bei jeder kolometrischen Betrachtung von V. 3 wird davon auszugehen sein, daß das Kolon 29.3.2. die Einheit von 29.3.1.+29.3.3., die durch das Parallelpaar *'l h mjm// 'l mjm rbjm* zur Genüge erwiesen ist, nur ein späterer Einschub sein kann, unabhängig davon, ob es nun ein versprengter Vers oder eine Glosse ist. Alle Lösungsvorschläge, in denen mit einem Trikolon oder einer Aufteilung der Wörter von 29.3.2. auf zwei oder drei Kola argumentiert wird, sind deshalb auszuscheiden.

qwl "Donner" — Eine Reihe von Autoren ziehen es vor, *qwl* als Interjektion zu deuten, siehe z.B. C. Peters, Bib 20 (1939), 288-293; E. Vogt, Bib 41 (1960), 17-18.
Vielfach wird *qwl* mit "Stimme" übersetzt, siehe z.B. J.L. Cunchillos, Salmo 29 (1976), 63-73; S. Mittmann, VT 28 (1978), 176. Da in V. 3-9aaβ ein Gewitter beschrieben wird, stellt "Donner" doch wohl die angemessene Übersetzung für *qwl* dar.

mjm//mjm rbjm "Wasser"//"große Wasser" — Die Bedeutung vor allem der Formulierung *mjm rbjm* ist umstritten. Es besteht die Frage, ob *mjm rbjm* das Mittelmeer[13], mythische Wasserfluten[14], den Himmelsozean[15] oder das Wasser der Regenwolken[16] bezeichne. H. Cazelles, Une relecture du Psaume XXIX? (1961), 122, spricht von einer Transposition des Kampfes zwischen Baal und dem Meergott. Er betont jedoch zugleich, daß in Ps 29 nicht von einem Kampf, sondern von einer Herrschaft Jahwes gesprochen werde. Nach A. Deißler, in: FS Junker (1961), 53, denkt der Dichter zugleich an das Mittelmeer, an Chaos und an das Völkergewoge. Denn der Hebräer liebe die Polyvalenz solcher Termini. S. Mittmann, VT 28 (1978), 191, meint, daß in V. 3-4 und 5-8 der chaotische Bereich der "großen Wasser" dem Bereich des Festlandes, der *pars pro toto* den von der Urflut umschlossenen Raum der geordneten Welt vertrete, gegenübergestellt sei. Nach J.L. Cunchillos, Salmo 29 (1976), 76, ist an den himmlischen, den unterirdischen Ozean und an die Meere zu denken.

---

[13] F. Baethgen, Psalmen (1897[2]), 81; C.A. Briggs, Psalms I (1906), 252; R. Kittel, Psalmen (1914[1-2]), 119; K. Budde, Psalmen (1915), 107-108; S. Landersdorfer, Psalmen (1922), 85; H. Schmidt, Psalmen (1934), 54; H. Herkenne, Psalmen (1936), 125; W.O.E. Oesterley, Psalms (1939), 201; M. Delcor, VT 1 (1951), 121 mit Anm. 3; E. Vogt, Bib 41 (1960), 23; M. Dahood, Psalms I (1965), 176; D. Kidner, Psalms 1-72 (1973), 126.

[14] An das Urmeer-Meer denken z.B. H. Gunkel, Psalmen (1929[4]), 123, der schreibt: "Ein erhabenes Bild: das ungeheure Weltmeer, und über ihm der ungestüme Donner! Bei der Wahl gerade dieses Naturbildes mag die Erinnerung an den Mythus mitgewirkt haben, wonach Jahwes Donner gegen das Urmeer losfuhr."; A. Lods, ACIO 19 (1935. 1938), 476; H. Cazelles, Une relecture du Psaume XXIX? (1961), 122; A.A. Anderson, Psalms I (1972), 236.

[15] T.K. Cheyne, Psalms I (1904), 121; B. Duhm, Psalmen (1922[2]), 118; A. Bertholet, Psalmen (1923[4]), 151; B. Bonkamp, Psalmen (1949), 157; E.J. Kissane, Psalms (1964), 127; A.A. Anderson, Psalms I (1972), 236; H.-J. Kraus, Psalmen I (1978[5]), 382.

[16] J.J.S. Perowne, Psalms (1880[3]), 101; W.M.L. de Wette, Psalmen (1856[5]), 191, "Wasserwolken"; F. Delitzsch, Psalmen (1883[4]), 268; H. Hupfeld, Psalmen I (1888[3]), 446; J.M.P. van der Ploeg, Psalmen I (1973), 194; L. Jacquet, Psaumes I (1975), 644; J. Coppens, ETL 53 (1977), 318.

S. Mowinckel hat jede Beziehung zu einem Gewitter als
Mißverständnis abgelehnt.[17] Gewitter und Erdbeben seien
nur einzelne Momente in der Schilderung. Das Meer,
über dem sich Jahwe verherrliche, sei das Urmeer. An
erster Stelle stehe der Urmeerkampf, wobei die Stimme,
das "Wort", Jahwes Waffe gewesen sei, mit dem er das
Urmeer gebändigt und die Welt geschaffen habe.
M. Dahood hat von der Hypothese her, daß Ps 29 eine
jahwistische Adaption eines älteren kanaanäischen Hymnus sei, auf einen Bedeutungswandel der Formulierung
ʿl h mjm geschlossen. Er schreibt: "The Mediterranean is
probably meant, since in its present form the poem describes a storm moving in from the west. In the original
composition the phrase ʿal hammāyim may have signified
ʿagainst the waters', a reference to Baal's use of thunder
against the chaotic waters."[18] Dieser Auslegung folgt
A.A. Anderson, der zu ʿl h mjm bemerkt: "Perhaps we
should also read in this verse ʿagainst the waters'; the new
rainy season could be regarded as a sign of Yahweh's
primeval victory over the waters of chaos, and of his ma-
stery over the whole realm of nature"[19], und ʿl mjm
rbjm wie folgt kommentiert: "This may be a pointer to
Yahweh's triumph over the cosmic waters (cf. 93:3), although the immediate reference is, apparently, to the
flood over which was firmly established Yahweh's palace or heavenly dwelling."[20]
Die Formulierung mjm rbjm dürfte in 29.3.3. als Um-
schreibung des Mittelmeeres, von dem her sich der Sturm
der Küste nähert, zu verstehen sein, siehe E. Vogt, Bib 21
(1960), 23.
Das erste Bikolon in der Beschreibung des Gewitters weist
folgende Struktur mit den parallelen Elementen qwl
JHWH//JHWH, ʿl//ʿl und h mjm//mjm rbjm auf:

---

[17] S. Mowinckel, Psalmenstudien II (1922), 47-48.
[18] M. Dahood, Psalms I (1965), 176.
[19] A.A. Anderson, Psalms I (1972), 236.
[20] A.A. Anderson, Psalms I (1972), 236.

qwl JHWH 'l h mjm
JHWH 'l mjm rbjm

29.4.1. Dieses Bikolon ist intakt erhalten und zeichnet sich durch
-29.4.2. einen klar erkennbaren parallelen Aufbau mit den Wortpaaren *qwl JHWH//qwl JHWH, b//b* und *kḥ//hdr* aus.
Es wurde zu Recht darauf hingewiesen, daß *kḥ* "Kraft"
und *hdr* "Glanz, Pracht" sonst meist Prädikate für Jahwe
selbst sind, hier aber auf seinen Donnerruf übertragen
werden, siehe A. Deißler, in: FS Junker (1961), 53. S.
Mittmann, VT 28 (1978), 178, betont, daß es angesichts
des in Ps 29 bewußt und gekonnt eingesetzten Stilmittels
der wiederholenden Wortassonanz gewiß kein Zufall sei,
daß die Strophe mit dem Ausdruck *b hdr* ende. Der
Gleichklang mit *b hdrt (qdš)*, dem Schluß der Eingangs-
strophe, sei nicht zu überhören. Der Klangbezug aber ent-
hülle einen Sinnbezug: der Herrlichkeit, in der Jahwe erscheine, sollen die Gottessöhne ihrerseits durch eine angemessene Erscheinung Rechnung tragen. Da jedoch *hdrt* in
29.2.2. einen Zusatz darstellt (siehe Kap. 5), läßt sich
zwischen dem Rahmentext und dem Mittelstück auf dem
von S. Mittmann vorgeschlagenen Weg kein Zusammenhang herstellen.

29.5.1. Von den beiden Kola dieses Bikolons weist das zweite
-29.5.2. eine Überlänge (21) auf. Wie ist diese Störung der Sym-
metrie des Bikolons zu erklären?
Es wurde vorgeschlagen im zweiten Kolon durch die Lesung *'rzj lbnwn* anstelle von *'t 'rzj h lbnwn* eine Erleich-
terung zu schaffen, siehe E. Vogt, Bib 41 (1960), 22
Anm. 3. Wenn wir in Entsprechung zu den Bikola in V.
8-9aαβ auch *JHWH* im zweiten Kolon als Zusatz anerken-
nen, erhalten wir ein symmetrisches Bikolon mit den
Wortpaaren *šbr//jšbr* und *'rzjm//'rzj lbnwn* zusammen
mit *qwl JHWH* in der Position einer Doppelfunktion:

qwl JHWH	*šbr*	*'rzjm*	15
w	*jšbr*	*'rzj lbnwn*	14

M. Held, The YQTL-QTL (QTL-YQTL) Sequence (1962),
287, hat vorgeschlagen, *šbr* anstelle von qal als pi zu lesen. M. Dahood, Psalms I (1965), 177, und J.L. Cunchillos, Salmo 29 (1976), 81-84, bezeichnen den Vorschlag
als unnötig. Eine spätere Umdeutung von *šbr* in dem von
M. Held vorgeschlagenen Sinne ist nicht auszuschließen,
so daß *šbr* in dem noch unvokalisierten nach älterem und
jüngerem Sprachempfinden gelesen werden konnte.

29.6.1. In diesem Bikolon fehlt das für den Abschnitt V. 3-9aaβ
-29.6.2. charakteristische Leitwort *qwl JHWH*. Dies und die Nennung des Libanon im ersten Kolon sowie die sekundäre
redaktionelle Ausrichtung des Textes auf das vorangehen-
de Bikolon lassen erkennen, daß es sich hier um einen
kommentierenden Zusatz, ein Zitat, handelt.
Die Kommentatoren kennen allgemein keine Bedenken,
V. 6 zum ursprünglichen Textbestand von Ps 29 zu rechnen, siehe z.B. H. Gunkel, Psalmen (1929⁴), 122; E. Podechard, Psautier I (1949), 135; E. Vogt, Bib 41 (1960),
22; F.M. Cross, CMHE (1973), 154-155; C. Macholz, in:
FS Westermann (1980), 326; P.C. Craigie, Psalms 1-50
(1983), 342.
H. Cazelles, Une relecture du Psaume XXIX? (1961), 122
-123.127, hat den Gedanken geäußert, daß dieses Bikolon, das besonders auf einen ug.-phönizischen Ursprung
des Textes hinweise, dann bei der "relecture" auf den Sinai bezogen worden sei.
Gegen die Echtheit von V. 6 hat sich S. Mittmann, VT 28
(1978), 178.181-182, ausgesprochen. Der PM sei in V. 7
und V. 9bc nicht durchgeführt und in V. 6 und V. 9a von
gänzlich anderer Art. Die erschütternde Wirkung der Erscheinung Jahwes auf die Berge sei ein gängiges Motiv der
Theophanieberichte, das V. 6 zumindest mittelbar ange-
regt haben dürfte. Den unmittelbaren Anstoß aber habe
gewiß V. 8 mit dem Bild der sich windenden Wüste gegeben, das, zumal nach der vorausgehenden Nennung des
Libanon, die Assoziation mit jenem Theophaniemotiv geradezu habe provozieren müssen. So sehr sich also eine

derartige Aussage sachlich vom traditionsgeschichtlichen
und literarischen Kontext her nahelege, so wenig gelte
dies von ihrer Form, dem eigentümlichen Bild vom hüp-
fenden Jungstier und Wildstierjungen. Ein im Wesentlichen identischer Vergleich finde sich noch einmal und
nur noch dieses eine Mal, in dem Theophaniehymnus Ps
114, der in dramatisierendem Stil und personifizierender
Metaphorik das Fliehen von Meer und Jordan und das
angstvolle Springen von Bergen und Hügeln angesichts
des Exodus und des sich darin offenbarenden Gottes darstelle. Es stelle sich deshalb die Frage, ob hier und in Ps
29,6 zwei voneinander unabhängige Varianten einer gän-
gigen Wendung vorlägen, oder ob es sich gar um jeweils
frei erfundene Formulierungen handle. Die eigenwillige
Prägung des kühnen Bildes und die gerade dabei auffälli-
gen Übereinstimmungen in der Diktion *(rqd, bn* kein
zweites Glied) seien solchen Annahmen nicht günstig und
seien es umso weniger, als das eine der beiden Beispiele,
eben Ps 29,6, ganz offenkundig sekundären Ursprungs sei.
Dieser Ursprung liege in Ps 114, in dem die betreffenden
Passagen zum Grundbestand gehörten und dem Stil des
Liedes völlig angepaßt seien. Dagegen spreche durchaus
nicht die Unterschiedlichkeit der zum Vergleich herange-
zogenen Tiergattungen. Libanon und Sirjon als die mäch-
tigsten Gebirgsmassive des syrisch-palästinischen Raumes
erforderten imposantere Vergleichsfiguren als die Berge
und Hügel von Ps 114.
Im Gegensatz zu den bisher diskutierten Lösungen schlägt
B. Margulis, Bib 51 (1970), 334-335.342, vor, V. 6 nach
9aaβ einzuschalten. Hierfür sprächen literarische Gründe
und die Attraktion von *'rz h lbnwn* in V. 5.
In der Interpretation von V. 6 wird das große Augenmerk
dem an *jrqjd* angeschlossenen *-m* gewidmet. Das *-m* stellt
einen Bezug zu den im vorangehenden Bikolon V. 5 genannten Zedern her. F. Baethgen, Psalmen (1897[2]), 81,
sah darin einen Hinweis auf die Zedern und meinte, daß
mit Libanon//Sirjon nicht so sehr die Berge als deren Be-
waldung beschrieben seien. Andere zogen es vor, das *-m*

zu tilgen, siehe z.B. B. Duhm, Psalmen (1922[2]), 86; R. Kittel, Psalmen (1921[4]), 110; E. Dhorme, Psaumes (1959), 948 Anm. 6. H. Gunkel, Psalmen (1929[4]), 125, der sich dieser Richtung anschließt, begründet seine Entscheidung, Text und Übersetzung "er läßt sie tanzen wie ein Kalb, Libanon und Sirion wie einen jungen Büffel" abzulehnen, wie folgt: "... aber der Rhythmus ist gestört; auch tanzen nach dem Zusammenhang nicht die Zedern, sondern die Berge; mit Recht lesen Bickell, Wellhausen und die meisten Neueren *wjrqd* oder *wjrqjd* und versetzen die Akzente".

Die im MT vorgeschlagene Einteilung von V. 6 in die Kola

w yrqjdm   *kmw 'gl*   12
lbnwn w śrjwn kmw bn r'mjm   21

erweist sich bereits durch die Asymmetrie als eine kolometrische Notlösung, die durch das Hinzukommen von -*m* bedingt ist. Von der kolometrischen Betrachtung her kann deshalb -*m* als Zusatz verstanden werden, der V. 6 an 5 anschließt. Einer Tilgung von -*m* wird man deshalb nur zustimmen, wenn man der Ansicht ist, daß V. 6 zum Grundbestand wenigstens des Abschnittes V. 3-9aaβ gehört.

Desgleichen gehen auch die Vertreter der von H.L. Ginsberg, A Phoenician Hymn in the Psalter, ACIO 19 (1935. 1938), 474; ders., JBL 62 (1943), 115, vorgeschlagenen Deutung des -*m* als eines ug.-kanaanäischen *mem encliticum* (siehe z.B. F.C. Fensham, POTW 6 [1963], 85; M. Dahood, Psalms I [1965], 178; T.H. Gaster, Myth [1969], 844 Anm. 34; J. Gray, BDRG [1979], 41 Anm. 7; P.C. Craigie, Psalms 1-50 [1983], 243; F.M. Cross, CMHE [1973], 154 Anm. 34; G. Ravasi, Salmi I [1981], 539 Anm. 23) von der Vorstellung aus, daß V. 6 zum Grundbestand des Abschnittes V. 3-9aaβ gehöre.

Die parallelen Glieder *kmw*//*kmw*, *'gl*//*bn r'mjm* und *lbnwn*//*śrjwn* sowie die deutlich erkennbare Doppelfunktion von *jrqjd* lassen keinen Zweifel darüber aufkommen, daß die ursprüngliche Form des Bikolons nur folgende sein konnte:

w jrqjd   *kmw 'gl*   *lbnwn*   17
    w śrjwn kmw bn r'mjm   16

Mittels -*m* wurde dann dieses Zitat an V. 5 angeschlossen und zu dessen Kommentierung verwendet. Es ist nicht auszuschließen, daß zuerst dieses -*m* fehlte und dann erst durch eine spätere Hand der jetzige Zustand geschaffen wurde. Die Glosse wird deshalb auf zweifache Weise zu lesen sein:

w jrqjd kmw 'gl lbnwn   17   Und er [= Jahwe?] macht
                                den Libanon tanzen wie ein
                                Kalb,
w śrjwn kmw bn r'mjm   16   den Sirjon wie einen jungen
                                Wildstier!

Der kommentierte Text lautet dagegen:

w jrqjdm kmw 'gl   13   Er [= Jahwe] läßt sie [= Ze-
                                dern oder Libanon und Sir-
                                jon] tanzen wie ein Kalb,
lbnwn w śrjwn kmw bn   21   Libanon und Sirion wie
r'mjm   einen jungen Wildstier.

Es ist deshalb keineswegs der Vorschlag jener ganz abzulehnen, die -*m* als ein Suffix Plural m. deuten, das auf *lbnwn/śrjwn* bezogen sei, siehe R. Tournay, RB 63 (1956), 179 Anm. 2; ders., RB 81 (1974), 463; ders., CiTo 106 (1979), 745, bemerkt hierzu folgendes: "Recordemos que el *mem* al final de *wayyarqîdem* no es un *mem* enclitico como con frecuencia se ha supuesto. Ese pretendido ugaritismo no es más que un sufijo plural masculino, cuyos 'antecedentes', Líbanon y Sarión, están colocades aquí después del verbo por énfasis; esta anticipación proléptica de los dos complementos directos es de un bello efecto poético, realzado por el quíasma de la frase." – Siehe auch J. Barr, Comparative Philology (1968), 22-33. MT dürfen wir jedenfalls folgen, insoweit wenigstens das letzte Stadium der Textentwicklung in Betracht gezogen wird.

Wenn wir das mit *jrqjd-m* gegebene Problem im Gesamten überschauen, ergibt sich ohne Zweifel, daß in der von

H.L. Ginsberg vorgeschlagenen Erklärung von *jrqjd-m*
vom Ug. her der textologische und kolometrische Tatbestand sowie der Kontext zu wenig beachtet werden. Denn
es wird auf diesem Wege offensichtlich versucht, jedes
Phänomen, das das Vorurteil der sog. Texteinheit von Ps
29 stört, mit Hilfe des Ug. zu erklären. Im Zirkelschluß-
verfahren werden dann von der Hypothese einer kanaanäischen Herkunft von Ps 29 her Erscheinungen, die auf
eine spätere Textkommentierung zurückzuführen sind, als
Kennzeichen des postulierten kanaanäischen Ursprungs
gedeutet und als Merkmale eines hohen Alters des Liedes
ausgegeben.

śrjwn "Sirion" – siehe Kap. 8.
r'm "Wildstier" – J.P. Brown, The Lebanon and Phoenicia I
(1969), 117 Anm. 6, "Bos primigenius"; J. Stolz, in: FS
Rendtorff (1975), 121, meint hierzu: "Ob *bn r'mjm* hier
'Wildstierjunges' oder 'Antilopenjunges' meint, läßt sich
aus dem Kontext nicht entscheiden; ins poetische Bild
paßt das graziöse 'Antilopenjunge' vielleicht sogar besser."; M. Held, BASOR 200 (1970), 38, "Young of the
wild ox"; siehe zu ug. *rum* H.L. Ginsberg, JANES 5
(1973), 131 Anm. 4, *rum* "water buffaloe".

29.7.1. Das durch V. 6 und 8 abgegrenzte Kolon wird entweder
als Rest eines Bikolons oder als eine sekundäre Einheit gedeutet.
H. Gunkel, Psalmen (1929⁴), 125, bezeichnete z.B. den
Text "Jahwes Donner zerhaut Feuerflammen" als inhaltlich seltsam und unrhythmisch. Den Vorschlag von Cheyne und Budde, auch hier die rhetorische Figur von V. 5
u.a. herzustellen und *qwl JHWH ḥṣb ṣwrjm wjḥṣbm
JHWH b lhbwt 'š* "Jahwes Donner zerhaut Felsen, Jahwe
zerhaut sie mit Feuerflammen"²¹ zu lesen, lehnt er mit

---

²¹ K. Budde, Psalmen (1915), 48: "Horch! wie der Herr die Felsen spaltet:
Sie spaltet der Herr mit flammender Lohe"; B. Margulis, Bib 51 (1970),
334-335.338.

dem Argument ab, daß eine solche zu häufige Wiederholung derselben Figur eher schleppend als erhaben wirke und der Strophenaufbau des Ganzen dadurch gestört werde. H. Gunkel selbst betrachtet *qwl JHWH ḥṣb* als eine Variante zu *qwl JHWH šbr* V. 4, und *lhbwt 'š* gehöre zu V. 9d, wo zwei Versfüße fehlten.[22] C.A. Briggs, Psalms I (1906), 256, deutet V. 7 als Glosse, die ursprünglich *ḥṣjw lhbwt 'š* gelautet habe. Er geht bei diesem Vorschlag von der Beobachtung aus, daß *ḥṣb* nur schwer mit dem Feuer zu verbinden sind. S. Mittmann, VT 28 (1978), 179-181, stellt fest, daß sich an V. 7 die konjekturale Phantasie besonders entzündet habe. Die Kürze im Verein mit der eigentümlichen Ausdrucksweise habe zu Ergänzungsversuchen gereizt, die alle auf der Voraussetzung basierten, daß ein Zwischenstück infolge von Homoioteleuton ausgefallen sei. Weitaus ansprechender als die Vorschläge von Cheyne, Duhm, Budde u.a. sei der Vorschlag von H.L. Ginsberg
qwl JHWH ḥṣb lhbwt
[w yḥṣb JHWH lhbwt] *'š*
zu lesen.[23] Der angenommene Ausfall sei hier besser motiviert, die Ergänzung komme mit dem vorhandenen Wortbestand aus, und sie treffe genau das Vorbild der klimaktischen Parallelismen V. 5 und 8. Diese Wiederherstellungsversuche lösten jedoch das mit V. 7 gegebene Problem nur zur Hälfte. Der Vers wäre zwar so vollständig, bliebe aber immer noch ohne den sekundierenden Ergänzungsvers. Damit verlören alle Korrekturen an Wahrscheinlichkeit und gewännen die Stimmen jener Interpreten an Gewicht, die V. 7 als sekundären Zusatz betrachteten (C.A. Briggs, H. Gunkel). Als solcher lasse er sich denn in der Tat auch gut begreifen. Denn es sei die Absicht deutlich, ein signifikantes Begleitphänomen der Theophanie Jahwes hier zum Zuge kommen zu lassen, das

---

[22] H. Gunkel, Psalmen (1929[4]), 125.
[23] H.L. Ginsberg, Or 5 (1936), 180; siehe ferner E. Vogt, Bib 41 (1960), 18-19.

Feuer, das als bildhafter Ausdruck oder wirklicher Aus-
fluß von Jahwes vernichtender Macht und richtendem
Zorn das Moment des *tremendum* symbolisiere oder rea-
lisiere. Jahwe komme im Feuer (Jes 66,15; Ez 1,4; vgl.
auch I Reg 19,12), fahre im Feuer, das Volk erschreckend,
auf den Berg Sinai herab (Ex 19,18), wo sich seine Herr-
lichkeitserscheinung wie fressendes Feuer darstelle (Ex
19,17) u.a. Aus den zahlreichen Stellen über das Feuer
bei Jahwes Erscheinen[24] gehe hervor wie Ps 29,7 zu verstehen sei: V. 7 dokumentiere die feste Verankerung der
Feuervorstellung in der Topik der Theophanieberichte
und mache es begreiflich, daß man sie in Ps 29 vermißt
und nachgetragen habe. Dabei habe eine gewisse Schwierigkeit in der Aufgabe gelegen, das Feuer gemäß dem
Kontext auf die Stimme Jahwes als auslösende Ursache
zurückzuführen. Daß damit aber nicht gänzlich Unverein-
bares zu vereinen gewesen sei, bewiesen jene Aussagen,
die das Feuer mit dem Mund, der Zunge, dem Schelten
Jahwes in Verbindung brächten. Die Aktivität der Stimme Jahwes sei mit dem Wort *ḥṣb* beschrieben, dem *terminus technicus* für die Tätigkeit des Steinhauers oder
Steinmetzen. Im vorliegenden Zusammenhang scheine
aber weniger an die unmittelbare Auswirkung auf den
Stein als an die Nebenwirkung des Funkenschlagens gedacht zu sein. Zugleich veranschauliche dieser Ausdruck,
ähnlich wie *šbr* V. 5, die geballte Kraft der Donnerstimme
Jahwes, die schlagartige Wucht ihres Niederfahrens. Nicht
ohne Bedeutung sei schließlich der dem Wort inhärente
Bezug zum Gestein. Daß das göttliche Feuer selbst Felsen und Berge in Brand setze, sei, wie sich oben gezeigt
habe, eine durchaus geläufige Anschauung und habe offenbar als Merkmal höchster kosmischer Potenz dieses
Elementes wie seines Urhebers gegolten. Mit dem Wort
ḥṣb werde eben diese Anschauung auf die Stimme Jahwes
übertragen. Dabei sei zweifellos an die unmittelbar zuvor
genannten Gebirge Libanon und Sirion als Gegenstand

---

[24] Siehe z.B. J. Jeremias, Theophanie (1977²), 29.169.

und Schauplatz solchen Machterweises gedacht. Sie hätten den sachlichen Anknüpfungspunkt geboten. Dies erkläre die Stellung von V. 7. Alle Versuche einer Umstellung seien deshalb verboten. In jeder kolometrischen Beurteilung von V. 7 wird von der Beobachtung auszugehen sein, daß V. 6 einen späteren Einschub darstellt und V. 7 deshalb einmal direkt an V. 5 angeschlossen sein konnte. Da ferner V. 6-7 den Zusammenhang der geographischen Beschreibung Libanon-Sirjon und Wüste von Qades am Orontes in V. 5 und 8 unterbrechen, wird auch wahrscheinlich gemacht, daß neben V. 6b auch V. 7 ein späterer Zusatz sein wird. V. 7 wird deshalb wegen *hsb*, das zur Beschreibung der Bearbeitung von Gestein gebraucht wird (siehe zu *hsb* HAL, S. 329: *hsb* I qal "(Steine)brechen"; *hsb* II qal "schüren" allein für Ps 29,7; siehe auch AHw, S. 331; *hasabu* I "abbrechen"; *hasabu* II "grün sein"), am ehesten als Glosse zu V. 6 zu bewerten sein.[25] Zusammenfassend wird deshalb festzuhalten sein, daß V. 7 weder mit H.L. Ginsberg und E. Vogt als Homoioteleuton zu einem vollen Bikolon aufzufüllen[26], noch als ursprüngliches Monokolon zu belassen ist (siehe z.B. H. Hupfeld, Psalmen I [1888[4]], 442; H. Schmidt, Psalmen [1934], 53; W.H. Schmidt, Königtum [1966[2]], 55; P.C. Craigie, Psalms 1-50 [1983], 242-243). V. 7 kann auch nicht mit V. 8 zu einem Trikolon vereinigt werden (W. Staerk, Lyrik [1920[2]], 77; A. Bertholet, Psalmen [1923[4]], 151; J. Gray, BDRG [1979], 41) oder etwa mit Hilfe von V. 9aβ (F.M. Cross, CMHE [1973], 154) oder von V. 3aβ (BHSa-a. 7a; A.A. Anderson, Psalms I [1972], 236; L. Jacquet, Psaumes I [1975], 633-641; H.-J. Kraus, Psalmen I [1978[5]], 377) zu einem Bikolon ergänzt werden.

---

[25] S. Landersdorfer, Psalmen (1922), 86: "Der Vers ist inhaltlich und auch der äußeren Stellung nach isoliert; die Strophe ist überfüllt. Vielleicht wollte ein Schreiber darauf aufmerksam machen, daß auch der Blitz bei den geschilderten großartigen Wirkungen mit im Spiele war."
[26] Siehe Anm. 23.

Auch eine Umstellung von V. 7 nach V. 5 (M. Dahood,
Psalms I [1965], 174.178) oder nach V. 9ab (A. Deißler,
Psalmen [1964], 119) stellen keine Lösung dar.
Es dürfte nicht auszuschließen sein, daß V. 7 auf einen
zweistufigen Wachstumsprozeß zurückgeht. Denn die
Randglosse *ḥṣb lhbwt 'š* zu V. 5-6 könnte erst – siehe den
Bezug von *ḥṣb* zu *šbr* – später durch die Hinzufügung des
für Ps 29 charakteristischen *qwl JHWH* erweitert worden
sein.

29.8.1.   Die parallelen Wortpaare *qwl JHWH//JHWH, jḥjl//jḥjl*
-29.8.2.   und *mdbr//mdbr qdš* legen die parallele Struktur des Bikolons offen dar. Es wird deshalb von den Interpreten
von diesem Gesichtspunkt her gesehen als unproblema-
tisch und intakt überliefert gedeutet, siehe z.B. E. Vogt,
Bib 41 (1960), 22; S. Mittmann, VT 28 (1978), 182-183.
Es wird nur vorgeschlagen, in V. 8b *wjḥjl* zu lesen, siehe
BHSa; S. Mittmann, VT 28 (1978), 183 Anm. 22.
Die wichtigsten Differenzen in der Auslegung von V. 8
betreffen die Formulierung *mdbr qdš*, die mit "Wüste von
Qadesch" wiedergegeben wird, siehe Kap. 8.

29.9.1.   Für die ersten zwei Kola von V. 9 sind die unterschied-
-29.9.2.   lichsten Lösungen vorgeschlagen worden. H. Gunkel, Psalmen (1929[4]), 122.125-126, hat z.B. das Bikolon mit Hilfe von V. 7b ergänzt und gelesen:

qwl JHWH jḥwll 'jlwt   Jahwes Donner macht die
                            Gemsen kreißen,
w jḥśp j'lwt b lhbwt 'š   scheucht die Gemsen
                            'mit Feuerflammen'.

F.M. Cross, CMHE (1973), 154-155, hat dagegen V. 9aβ
mit V. 7 verbunden, 9aα in der verkürzten Form an V. 8
angeschlossen und den Rest als Teil von V. 10 verstanden:

ql jhw ḥṣb lhbt 'š   The voice of Yahweh strikes with
                            flaming fire,
<ql jhw> jḥsp j'rt   <The voice of Yahweh> drenches
                            the forests.

ql jhw jhl mdbr	The voice of Jahweh makes the desert writhe;
jhl jhw mdbr qdš	Yahweh makes the Holy Desert to writhe;
[ql] *jhw jhll 'jlt*	Yahweh makes the hinds to writhe (that is, calve).

B. Margulis, Bib 51 (1970), 334-335.338-342, hat aus V. 9 ein Bikolon herausgeschält, das es ihm ermöglicht, Ps 29 mit Gebieten im Süden von Palästina zu verbinden. Sein Vorschlag lautet:

qwl JHWH jhwll 'jlwt	The voice of Yahweh riles (the Gulf of) Eloth
jhšp <s>'rwt <tjmn>	It unleashes the storms of Teman.

Die kolometrischen und inhaltlichen Probleme von V. 9a sieht S. Mittmann, VT 28 (1978), 184-188, als unlösbar an. Es bleibe trotz aller Versuche der Korrekturen des Textes das rhythmische Ungleichgewicht der Kola. So sei die einfachste Erklärung die Annahme einer sekundären Ergänzung, deren Motiv denn auch nicht schwer zu erkennen sei. Welche Wirkung die Stimme Jahwes auf die Natur ausübe, erscheine durch V. 5 nur ungenügend zum Ausdruck gebracht. Jahwes Stimme vermöge mehr, als Bäume zu zerschmettern. Sie greife nicht nur durch die Gewalt wilder Unwetter von außen her an, sie bewege auch die inneren Kräfte des Kosmos. Ihr Machtwort lasse die Vegetation werden und wachsen, lasse sie aber auch sterben und vergehen. *Tertium comparationis* sei jener Dürrezustand, der die Wüste permanent beherrsche, der aber auch über das Kulturland mit so tödlicher Gewalt hereinbrechen könne, daß grün bedeckte Waldregionen sich in kahle Ödnis verwandelten.
E. Vogt, Bib 41 (1960), 19-20.22, beläßt V. 9aαβ hinter V. 8 und entscheidet sich gegen die Baum-Hypothese für Tiere in diesem Bikolon. Es seien zwei Wörter ausgefallen, die sich ohne besondere Schwierigkeit wiederfinden ließen. Das eine Wort müsse "Jahwe" sein, denn es kom-

me sonst immer nur paarweise vor. Somit müsse dieses
Bikolon lauten:

qwl JHWH jḥwll 'jlwt	Horch! Jahwe wirft in Wehen die Hinden,
w jḥśp <JHWH 'jlwt> *j'rwt*	es macht kreißen 'Jahwe die Hinden' der Wälder.

Wenn wir von der Annahme her argumentieren, daß *jḥwll*
durch Angleichung eines *jḥśp* an *jḥjl* im unmittelbar vorangehenden V. 8 entstanden ist, dann wäre für die ersten
zwei Kola von V. 9 folgende kolometrische Sturktur anzusetzen:

qwl JHWH jḥśp 'jlwt	16 Jahwes Donner 'entblößt' Eichen,
w jḥśp JHWH j'rwt	14 und Jahwe entblößt Wälder.

Aus den Parallelismen *qwl JHWH//<JHWH>, <jḥśp>//*
jḥśp und '*jlwt//j'rwt* wäre dann ohne Hindernisse abzuleiten, daß der Sturm überall dort, wo er über den Libanon
und die angrenzenden Gebiete hinwegtobte, an den großen Bäumen und in den Wäldern Schaden angerichtet hat.
Es erübrigt sich so von selbst, für V. 9 eine Verbform *ḥjl*
I pol 1 "kreissen machen" (HAL, S. 298)[27], ein Nomen
'jlh "Damhirschkuh" (HAL, S. 39), *j'rh* II "Zicklein"
(HAL, S. 404)[28] und neben *ḥśp* I "abschälen, entblößen"
(HAL, S. 345), ein *ḥśp* II "zu vorzeitigem Gebären bringen" (HAL, S. 345)[29] oder ein *jḥps*[30] zu postulieren.

---

[27] S. Mittmann, VT 28 (1978), 184-185, betont zu Recht, daß man *jḥwll* die
kausative Bedeutung "kreißen lassen" oder "beben machen" unterschiebe.
Demgegenüber sei jedoch mit Nachdruck festzustellen, daß die Intensivstäm-
me dieses Verbs sonst stets "hervorbringen" bzw. "hervorgebracht werden"
bedeuteten.

[28] G.R. Driver, JTS 32 (1930/31), 255-256, "blenting kid"; J. Gray, BDRG
(1979), 41 Anm. 11; H.P. Chayes, Ps. XXIX. 9, OLZ 5 (1902), 209, emendiert *j'rwt* zu *j'lwt* "Steinbockweibchen"; siehe auch E. Vogt, Bib 41 (1960),
19.

[29] G.R. Driver, JTS 32 (1930/31), 255-256; J. Gray, BDRG (1979), 41 Anm.
10, bemerkt: "The verb *ḥāsap* ('to strip bare') is intelligible here in the sense

Der Parallelismus *'jlwt//j'rwt* "Eichen, große Bäume"[31] //"Wälder"[32] schließt die Beschreibung des Gewitters ab. Das Lied endet mit einem Blick auf die Verwüstung, die nach dem Sturm sichtbar ist und dessen Weg noch erkennen läßt.

29.9.3.   siehe zu 29.2.2.+29.9.3.

29.10.1. Die kolometrische Zuordnung der zwei Kola 29.10.1.- -29.10.2. 29.10.2. zu einer oder mehreren poetischen Einheiten wird von den Kommentatoren unterschiedlich vorgenommen. In der Mehrzahl dürften jene sein, die aus V. 10 ein Bikolon bilden, siehe z.B. H. Gunkel, Psalmen (1929[4]), 122; E. Vogt, Bib 41 (1960), 20.23; W.H. Schmidt, Königtum (1966[2]), 55; H. Strauß, ZAW 82 (1970), 91; H.-J. Kraus, Psalmen I (1978[5]), 377; S. Mittmann, VT 28 (1978), 191; J. Gray, BDRG (1979), 41; P.C. Craigie, Psalms 1-50 (1983), 242. Dagegen ziehen H. Herkenne, Psalmen (1936), 26; E. Podechard, Psautier I (1949), 135.137; B. Margulis, Bib 51 (1960), 334-335.347-248 und D.N. Freedman-C.F. Hyland, HTR 66 (1973), 240.253, *kbwd* noch zu V. 10. H. Herkenne, Psalmen (1936), 126, bildet folgende poetische Einheit:

w b hjklw kl <l>w 'mr Jedoch in seinem Palast sagt
         ein jeder über ihn:
kbwd JHWH l mbwl jšb "Die Herrlichkeit Jahwes hat
         (schon) gethront bei der Flut,
w jšb JHWH mlk l 'wlm und thronen *wird* Jahwe (weiter) als König auf ewig."

of delivering prematurely, so NEB".
[30] H. Gunkel, Psalmen (1929[4]), 126.
[31] Ein Vorschlag, der auf Lowth zurückgeht, siehe J. Gray, BDRG (1979), 41 Anm. 11; S. Mittmann, VT 28 (1978), 185 mit Anm. 29, verweist auf H. Graetz, Psalmen I (1882), 250f.
[32] E. Vogt, Bib 41 (1960), 20 Anm. 1, betont doch wohl zu Recht, daß der Plural *j'rwt* statt *j'rjm* (HAL, S. 404; *j'r* I) keine ernstliche Schwierigkeit sein könne; vgl. S. Mittmann, VT 28 (1978), 186 Anm. 32.

E. Podechard, Psautier I (1949), 135.137, postuliert folgendes Bikolon:

kbwd JHWH l mbwl jšb La gloire de Jahwé sur le
                    déluge trône,

w jšb JHWH mlk l 'wlm et Jahwé trône roi pour
                    l'éternité.

B. Margulis, Bib 51 (1960), 334-335.342-345, greift dagegen zusätzlich noch in den Text ein und konstruiert folgendes poetische Gebilde:

kbwd JHWH l   The 'Honour(-cloud)' of
m<š>l jšb   Yahweh is enthroned
[w] jšb [JHWH] mlk l   It will reign as king forever.
'wlm

L. Jacquet, Psautier I (1975), 632-633, verteilt V. 10 auf zwei poetische Einheiten:

b hjklw 'mr kbwdw   En son palais, tout proclame sa
                     gloire:
JHWH l mbwl jšb   "De Yahvé le déluge est le
                     trône!"

w jšb JHWH mlk l 'wlm Oui, Il trône, Yahvé, en Roi
                     éternel:
JHWH 'z l 'mw jtn   Yahvé donnera la puissance à
                     son peuple;
JHWH jbrk 't 'mw b   Yahvé bénira son peuple dans
šlwm   la paix!

H.L. Ginsberg, ACIO 19 (1935.1938), 474, ersetzt im ersten Bikolon von V. 10 mbwl durch mlk, so daß er folgende Einheit als ursprünglich ansieht:

JHWH l mlk jšb   Yahwe sitteth enthroned
                    'as king';
w jšb JHWH mlk l 'wlm yea, Yahwe sitteth enthroned
                    as king forever.

H.L. Ginsberg, Or 5 (1936), 180 Anm. 5, kann für diesen Vorschlag auf Lambert und N.H. Torczyner verweisen, die l mbwl zu limlok oder lemelek emendiert hatten.

E. Vogt, Bib 41 (1960), 20 mit Anm. 2; 23, ergänzt und liest V. 10 folgendermaßen:

JHWH l mbwl jšb   Jahwe thront auf der Himmels-
<mlk>   flut 'als König',
w jšb JHWH mlk l 'wlm es thront Jahwe als König auf
                   ewig.

H.L. Ginsberg und E. Vogt erhalten auf diesem Wege ein Bikolon, das im Aufbau vollkommen an den Abschnitt V. 3-9aaβ angeglichen ist.

Den archaischen Charakter von V. 10 suchte man auch durch Übersetzung von l mbwl mit "seit der Flut" zu erweisen, siehe z.B. M. Dahood, Psalms I (1965), 175. 180; D.N. Freedman-C.F. Hyland, HTR 66 (1973), 254; J. Gray, BDRG (1979), 41 mit Anm. 12.

Dagegen wurde auch darauf hingewiesen, daß jšb l eine kanaanäische Formulierung für he. jšb 'l sei, siehe F.M. Cross, CMHE (1973), 155 Anm. 43; siehe auch P.C. Craigie, Psalms 1-50 (1983), 243.

Die Bikola V. 10.11 sind vom Abschnitt 29.1.2.-29.2.2. + 29.9.3. aus kolometrischen und inhaltlichen Gründen zu trennen. Für V. 10 ist als Ausgangspunkt folgender Text anzusetzen:

JHWH l ks'w jšb   12
JHWH mlk l 'wlm 12

Auf diese Weise wird sowohl das singuläre l mbwl jšb als auch die Verdoppelung des jšb, bedingt durch das sekundäre mlk "König", verständlich. Denn nachdem auf dem Wege der Textmodernisierung mbwl "Sintflut"[33] eingetragen wurde, war zur Verdeutlichung der Aussage im zweiten Kolon sowohl w jšb als auch die Umpunktierung von mlk "er ist König geworden, er herrscht als König" zu mlk "König" notwendig geworden.

---

[33] Siehe Kap. 9.

29.11.1. Das letzte Bikolon wird entweder als integraler Bestand-
-29.11.2. teil des Liedes angesehen (siehe z.b. S. Mowinckel, PIW
           II [1962], 247), als patriotischer Anhang, der außerhalb
           der Strophen stehe und vielleicht erst später hinzugefügt
           worden sei (so z.b. H. Gunkel, Psalmen [1929⁴],
           124)³⁴, als ein redaktionelles Anhängsel (S. Mittmann,
           VT 28 [1978], 190), oder als ein "israelitischer Anhang"
           (W.H. Schmidt, Königtum [1966²], 57).

           V. 11 setzt bruchlos V. 10 fort. Der Zusatz 't 'mw zer-
           dehnt das zweite Kolon.

---

³⁴ H.L. Ginsberg, ACIO 19 (1935.1938), 474, bemerkt: "The last verse of
Ps 29 is obviously a benedictory and nationalistic addition ..., and the original hymn ended with the last verse but one (10)."

KAPITEL 4

AUFBAU, GATTUNG UND DATIERUNG VON PS 29

Der Aufbau von Ps 29 spiegelt einen längeren Prozeß der Textan-
reicherung wider. Die literarische Struktur und der Zeitfaktor bilden in diesem Falle ein Ganzes, das von verschiedenen Gesichtspunkten her zu beleuchten ist.

4.1. Aufbau von Ps 29

Aus der kolometrischen Analyse von Ps 29 hat sich ergeben, daß
drei grundsätzlich verschiedene Textblöcke in diesem Lied zu
unterscheiden sind:
1. Grundtext 29.1.2.-29.2.2. und 29.9.3.
2. Mittelteil 29.3.1.-29.9.2.
3. Schluß 29.10.1.-29.11.2.[1]
Von der Kolometrie her wird so die schon mehrfach beschriebene
Beobachtung bestätigt, daß in Ps 29 wenigstens zwei Traditionen, eine über El und eine über Baal, zusammengearbeitet sind.[2]
Von dieser Seite her wird die Hypothese, daß Ps 29 von den Kanaanäern übernommen worden sei[3], grundsätzlich in Frage gestellt. C. Macholz hat deshalb vorgeschlagen, den Jerusalemer Kul-
tus als Entstehungs- und Überlieferungsort dieses Psalms und damit das Zusammenfließen der zwei Vorstellungsreihen, die in den
ugaritischen Texten getrennt sind, zu erklären. Sein Argument lautet: "Solche 'Traditionsmischungen' die auch anderwärts im AT
begegnen, 'vollzogen sich' nicht 'erst in Israel' (wobei 'Israel' kein
überlieferungsgeschichtlicher Monolith ist!). Vielmehr wird man
für die Tradition von Jerusalem, und zwar schon des 'jebusitischen'
Jerusalems, mit einer 'Verschmelzung von Zügen Els und Ba'als
bzw. Ba'alšamems' zu rechnen haben."[4] Er postuliert am Ende

---

[1] Siehe Kap. 2-3.
[2] Siehe Kap. 12.
[3] Siehe zu H.L. Ginsberg u.a. Kap. 1 und 12.
[4] C. Macholz, Ps 29 und 1 Kön 19, in: FS Westermann (1980), 328-329.

seiner Überlegungen, daß Ps 29 vielleicht einen ganzen jebusitischen Hymnus, jedenfalls aber einen ganzen Traditionskomplex übernehme, diesen umpräge und ihn als Jahwe-Lob in den Mund Israels lege. Sein Argument lautet: "So redet man vom Erscheinen des Gottes; so kann, ja muß Israel vom Erscheinen Jahwes reden. Ps 29 ist eines von den vielen Beispielen für den Sprachgewinn, den Israel (und nicht nur Israel) der Kontinuität des Kultes im von David eingenommenen und von Salomo ausgebauten Jerusalem verdankt."[5]

Für die von C. Macholz angebotene Erklärung des Zusammenwachsens der El- mit der Baaltradition in Ps 29 gibt es weder historische noch philologische Anhaltspunkte. Desgleichen erweisen sich auch jene Interpretationen als unzulänglich, in denen die Differenzen zwischen der El- und Baaltradition in diesem Lied nicht wahrgenommen[6], von der Einheitsthese her bedingt nicht zum Tragen kommen[7], überspielt werden[8], die Eltradition der über Baal untergeordnet[9] oder in der eine Gliederung des Psalms in die drei Teile V. 1-2 – Aufforderung zum Lobpreis –, V. 3-9 – Lob des Donners Jahwes – und V. 10-11 – Lob Jahwes im Tempel –

---

[5] C. Macholz, Ps 29 und 1 Kön 19, in: FS Westermann (1980), 332.

[6] Siehe z.B. E.T. Mullen, Jr., The Assembly of the Gods (1980), 200, bemerkt z.b. "Though the psalm has been shown quite convincingly to have been originally a hymn to the victorious warrior Ba'l."

[7] D.N. Freedman-C.F. Hyland, HTR 66 (1973), 237.241, die von "Canaanite elements" in Ps 29 sprechen und dabei "the glorification of the voice of Yahweh" als eine "adaptation of the praises of Baal, the Canaanite storm god" bestimmen, erklären dann folgerichtig V. 2-9 zum "main part of the poem". Diese Autoren gehen von der "integrity" (a.a.O., S. 238) des Ps 29 aus.

[8] Siehe z.B. P.C. Craigie, Psalms 1-50 (1983), 243-249.

[9] K. Seybold, TZ 36 (1980), 210, schreibt: "Baal/Hadad soll Preis und Huldigung der Göttersöhne gelten, der Söhne Els, des Göttervaters, seiner eigenen Göttergeneration also, denn er will der erste und stärkste sein ..." K. Seybold (a.a.O., S. 214) nimmt ferner an, daß in einer späteren Bearbeitung El wieder in den Vordergrund gerückt wurde: "Die spätvorexilische Zeit, in der die Bearbeitung des Psalms in dieser Weise erfolgte, war eine synkretistische, eine barocke Zeit. Die Front des Jahwismus war nicht mehr von der agrarischen Baalreligion und ihrem Mythos bedroht, vielmehr dem urbanen Synkretismus der späten Königszeit. Kein Wunder, daß das Gegenüber im Ps 29 nicht mehr der Wettergott Baal-Hadad vielmehr El heißt, der, höchste, ja alles entscheidende Gott und Schöpfer Himmels und der Erde."

erfolgt.[10] Es wurde auch angenommen, daß tatsächlich El der Gott der Gewittertheophanie in diesem Hymnus gewesen sei.[11]

Von der kolometrischen Analyse her kommend sind wir zum Ergebnis gelangt, daß in Ps 29 drei Texte miteinander verschmolzen worden sind. Den Grundtext bildet die Beschreibung einer Huldigung Jahwes durch seinen Hofstaat in 29.1.2.-29.2.2. + 29.9.3. In diesem Teil nimmt das Wort *kbwd* "Herrlichkeit" eine zentrale Stelle ein, da es dreimal erscheint und das Wesentliche des Lobes umschreibt, das Jahwe gebührt.

Die Aufforderung zum Gotteslob an den himmlischen Hofstaat wird im dritten Teil V. 10-11 durch eine Beschreibung des himmlischen Königs und den Wunsch, daß Jahwe sein Volk stärken und segnen möge, abgeschlossen.

Der Block 29.1.2.-29.2.2. + 29.9.3. wurde dann nachträglich durch den Einschub 29.3.1.-29.9.2. ergänzt. Im Gegensatz zum Grundtext wird hier ein Gewitter mit seinen Wirkungen in der Natur vorgeführt. Wenn es seinen Weg vom Mittelmeer zum Libanon und über diesen hinaus in die Gegend von Qadeš am Orontes nimmt, bleibt in der Natur Zerstörung zurück. Mit dieser Ergänzung wurde das Ziel angestrebt, Jahwes Herrlichkeit und Majestät noch besser hervorzuheben.

Wesentlich für das Verständnis von Ps 29 ist die Erkenntnis, daß die ursprüngliche Einheit von 29.2.2. + 29.9.3.[12] von Ps 96,7-10 her bestätigt werden kann.[13] Denn aus dem Vergleich

29.2.2. *hšthww l JHWH b [hdrt]*[14]   96. 9.1. *hšthww l JHWH b hdrt qdš*
   qdš⟨w⟩[15]

29.9.3. *w b hjklw [klw]*[16] *'mr⟨w⟩*   96.10.1. *'mrw b gwjm JHWH mlk*
   kbwd

---

[10] P.C. Craigie, Psalms 1-50(1983), 243.

[11] F. Stolz, Strukturen (1970), 153-154.

[12] Für die ursprüngliche Einheit von V. 1-2. 9c-10(11) treten auch D. Gualandi, Bib 39(1958), 483, und E. Lipiński, DBS 9(1979), 18 ein. D. Gualandi, Bib 39(1958), 483, schlägt für 2b+9c folgende Lesung vor: "inclinativi a Jahwe nell'atrio del Suo Santuario, e nel Suo Tempio tutti insieme si acclamerà." Dagegen übersetzt E. Lipiński, DBS 9(1979), 18: "Prosternez-vous devant Yahwé dans la splendeur[?] du sanctuaire, Accomplissez [*killu*] dans son sanctuaire la parole de gloire."

[13] Siehe zu Ps 96,7-10 Kap. 13.2.-4.

ergibt sich doch wohl mit befriedigender Sicherheit, daß diese Texte auf eine Vorlage zurückgehen, die durch die Parallelismen
hšthww // 'mrw und *b qdšw // b hjklw* bestimmt war.
Das umstrittene *hdrt* in 29.2.2. erweist sich als eine sekundäre
Angleichung an 96.9.1. Erstaunlich ist ferner, wie geschickt das
b hjklw in ein *b gwjm* und das *kbwd* in den Ruf *JHWH mlk* umge-
wandelt wurde.
Die in 96.9.1. + 96.10.1. mit Glück vorgenommene Umdeutung
des Textes erweist sich von dem in 96.7.1. gewählten Standpunkt
aus – Ersatz von *bnj 'ljm* (29.1.2.) durch *mšphwt 'mjm* – als ein
folgerichtiger Vorgang. Dagegen hat die radikale Trennung des Kolons 29.9.3. von 29.2.2. von selbst der eingetretenen Verschlechterung des Textes Vorschub geleistet.
Weitere Kommentierungen, Mißverständnisse und Auffüllungen
in 29.2.2.; 29.3.2.; 29.5.2.; 29.6.1.-29.7.1.; 29.9.3.; 29.10.2.;
29.11.2. sowie Auslassungen in 29.2.2. und 29.9.2. haben dann
des weiteren den Späteren das Verständnis des Liedes erschwert.
Dem komplizierten Entstehungsprozeß von Ps 29 dürften deshalb all jene Erklärungen zu wenig gerecht werden, in denen die
Autoren von einer einfach verstandenen Texteinheit und -ein-
schichtigkeit früher vorexilischer Herkunft[17], von einer Texteinheit und -einschichtigkeit später nachexilischer Entstehung[18] oder
von einer Grundform mit mehr oder wenig umfangreicher Kommentierung im Verlaufe eines Redaktionsprozesses[19] ausgehen.

---

[14] Angleichung an 96.9.1.; siehe Kap 3 zu 29.2.2. + 29.9.3.

[15] BHSb; siehe Kap. 3 zu 29.2.2. + 29.9.3.

[16] Dittographie; siehe Kap. 3 zu 29.2.2. + 29.9.3.

[17] Zu dieser Gruppe zählen die Vertreter der von H.L. Ginsberg initiierten
Deutung; auch B. Margulis, Bib 51(1970), 332-348, zählt trotz seines anderen
Ausgangspunktes z.B. hierher.

[18] A. Robert, DBS 5(1957), 416; R.J. Tournay, CiTo 106(1979), 734-
752.

[19] O. Loretz, UF 6(1974), 194-195; S. Mittmann, VT 28(1978), 173. 190-
191, geht davon aus, daß hinter der heutigen Gestalt sich eine Grundform ver-
bergen müsse und daß die gegenwärtige Umformung nur das Ergebnis sekundärer Störungen sein könne. Zur originären Gestalt von Ps 29 gehöre V.
1bc.2-5.8.9bc.10. Erweiterungen seien V. 6.7.9a.11; K. Seybold, TZ 36
(1980), 209 Anm. 1, 212.214, zählt zur Grundschicht V. 1a.b/3aα/4a.ab/
5a.7/8a.9a*/10aα/11a, zur Sekundärschicht V. 2.3aβb.5b.6.8b.9b*.10b.11b.

4.2. Gattung von Ps 29

H. Gunkel hat Ps 29 unter die Hymnen eingeordnet.[20] In V.
3-9c sah er das Lob der himmlischen Chöre zu Ehren Jahwes.[21]
Nach F. Crüsemann enthält die Einleitung von Ps 29 zwar den
pluralischen Aufruf zum Lob, aber in eigenartiger, sonst in Israel
nicht vorkommender Ausprägung. Der Aufruf sei im altertümli-
chen Stufenparallelismus gehalten, er bewahre Topoi, die sonst im
imperativischen Aufruf nicht zu finden seien, vor allem *hb*, aber
auch *hšthwh;* er sei nicht von einem *kî*-Satz gefolgt, auch könne
das Korpus nicht als Durchführung verstanden werden. Vor allem
aber richte sich der Imperativ nicht an Menschen, sondern an die
"Göttersöhne". Diese starke Abwandlung setze doch wohl einen
anderen Typ von imperativischem Hymnus voraus, als es der in
Israel übliche gewesen sei; auch das Korpus sei völlig singulär in
Form und Inhalt. Wie dem auch sei, keinesfalls könne in dieser
Variation der Ausgangspunkt des imperativischen Aufrufs gesehen
werden. Wie sowohl die ältesten Belege in Israel als auch die altorientalischen Parallelen zeigten, riefen die hymnischen Imperative
ursprünglich unbestreitbar Menschen zum Gotteslob auf.[22]
Dagegen zählt J. Jeremias Ps 29 zu den Jahwehymnen. Das alte
Lied fordere in seinen Rahmenversen 1f. den himmlischen Hofstaat zum Lobpreis Jahwes auf und beschreibe in V. 9c-10 Jahwes
himmlisches Königtum. Die Begründung für den Lobpreis sollen
die Theophanieverse 3-9b geben. Sie malten Jahwes schreckliche,
die Natur beherrschende Kraft aus.[23]
H.-J. Kraus betont, daß bei der formkritischen Hauptfrage nach
der Gattung des Psalms vom religionsgeschichtlichen Befund aus-

Die kanaanäische Urform des Psalms sei durch Streichung und Ersetzung des
Baal-Hadad-Namens und durch eine Bearbeitung in der späten Königszeit
umgearbeitet worden.
[20] H. Gunkel, Psalmen (1929[4]), 122; ders.; Einleitung (1933), 32.73; siehe
ferner E. Lipiński, DBS 9(1979), 16, der davon spricht, daß in Ps 29,1-2.
9c-10 die Form des imperativischen Hymnus vorliege; C. Macholz, in: FS
Westermann (1980), 325-326; P.C. Craigie, Psalms 1-50 (1983), 243.
[21] H. Gunkel, Psalmen (1929[4]), 123.
[22] F. Crüsemann, SFHDI (1969), 35 Anm. 1; 190.
[23] J. Jeremias, Theophanie (1977[2]), 124.189.

zugehen sei. Man habe erkannt und eindrucksvoll dargestellt, daß
dem Ps 29 ein altkanaanäisches, durch ugaritische Texte repräsen-
tiertes Lied zugrunde liege. Die archaisch-hymnische Form, mit
der Ps 29 ansetze, werde wohl aus dem kanaanäischen Bereich
übernommen worden sein; wie überhaupt anzunehmen sein werde,
daß Israel die Urform des Hymnus aus der unmittelbaren Umwelt
übernommen habe. Auf jeden Fall werde Ps 29 — seinem Auftakt
entsprechend — als Loblied *(thlh)* aufzunehmen und dieser Form-
gruppe zuzurechnen sein. Doch gingen die imperativischen Aufrufe
in V. 1f. über in eine Theophanieschilderung, die als eine eigene
Gattung bezeichnet werden müsse. Während der Aufruf in V. 1f
sich an die *bnj 'ljm* richte, komme der spezifisch israelitische Bezug des Psalms — sehe man zunächst von der Einfügung des Jah-
we-Namens ab — erst in der Wunschbitte von V. 11 zum Ausdruck.
Man werde demnach von Anfang an damit zu rechnen haben, daß
ein kanaanäischer Baal-Hymnus mit seiner Theophanieschilderung
ohne tiefgreifende Rezeption von seiten der alttestamentlichen
Tradenten in Israel überliefert worden sei.[24]

Bei der Beantwortung der Frage nach der Gattung von Ps 29
wird zu beachten sein, daß der Grundbestand des Liedes auf
29.1.2.-29.2.2. + 29.9.3. (+ 29.10.1.-29.11.2.) zu beschränken ist
und auch dieser Text nur bruchstückhaft erhalten sein könnte. Es
liegt in diesem Teil von Ps 29 sozusagen ein "himmlischer Hymnus" vor, der zum Lob Jahwes im überirdischen Tempel auffor-
dert. Es ist nicht zu ersehen, inwieweit diese Art Lied auf kanaanäische oder altorientalische Vorbilder zurückgeht oder ob hier
Elemente vor- und außerisraelitischer Traditionen zu einer neuen
Einheit verbunden worden sind.

Von kolometrischen Gesichtspunkten her betrachtet besteht
keine Möglichkeit, den Einschub 29.3.1.-29.9.2. zu einem integra-
len und ursprünglichen Teil des Liedes zu erklären. J. Jeremias hat
z.B. dadurch einen einheitlichen Lobpreis in Ps 29 konstruiert, indem er zwischen Jahwes Stimme über dem Himmelsozean und
über dem Meere eine Verbindung herstellte. Sein Argument lautet: "In keiner anderen Theophanieschilderung ist Jahwes dröh-
nende Stimme eine so beherrschende Rolle zugewiesen worden;

---

[24] H.-J. Kraus, Psalmen I (1978⁵), 378.

hinter der Stimme steht Jahwe selbst. Sein mächtiger und erhabener Donner (V. 4) ertönt über dem Himmelsozean (V. 3), der in direkter Verbindung mit dem irdischen Meer steht (vgl. Gn. 1)."[25] Auf ähnliche Weise bestimmt auch C. Macholz Ps 29 als einen Theophanie-Psalm, der zu einem Epiphanie-Psalm gemacht worden sei. Er begründet dies mit dem Hinweis, daß in Ps 29 das eigentliche beschreibende Gotteslob des Hymnus in V. 5-9 enthalten sei. Es sei längst gesehen und geradezu Allgemeingut geworden, daß in diesem Psalm nicht von einem theologisch überhöhten Gewitter die Rede sei, sondern von einer Theophanie. Zu den einzelnen hier begegnenden Elementen der Theophanieschilderung gebe es in den Psalmen eine Fülle von Parallelen. Erst durch die Jussive von V. 11 werde sozusagen aus dem Theophanie-Psalm ein Epiphanie-Psalm gemacht. Die Stimme Jahwes wirke in der Welt, der von den "mächtigen Wassern" (V.3) des *mabbūl* (V. 10) überwölbten und umgriffenen Erde.[26]

Es dürfte kaum ein Zweifel daran möglich sein, daß im Abschnitt 29.3.1.-29.9.2. eine Erscheinung Baal-Jahwes im Gewitter beschrieben wird. Der Text wird einem größeren Zusammenhang entnommen sein, in dem ausführlich Baals(-Jahwes) Theophanie im Gewitter dargelegt wurde.

Im neuen Kontext von Ps 29 unterstützt der Einschub mit seiner Hervorhebung der Macht des Gewittergottes die in 29.2.2. ausgesprochene Aufforderung zum Niederfallen *(hšthww)* vor dem himmlischen König. Diese an den himmlischen Hofstaat gerichtete Begründung stellt jedoch die Wirkung der im Gewitter erscheinenden Gottheit auf Natur und Mensch dar. Sie ist demnach in Ps 29 mit seinem himmlischen Geschehen letztlich fehl am Platze.

Alle Versuche, aus Ps 29 dennoch eine stilistische oder inhaltliche Einheit herauszulesen, sind demnach vom Ansatz her verfehlt und zum Scheitern verurteilt. Dies trifft auch für den Versuch zu, Ps 29 mit Ex 15,1b-18 in Beziehung zu setzen.

P.C. Craigie bestimmt zwar Ps 29 als Hymnus, fügt aber einschränkend hinzu, daß die Einbettung desselben in das Leben und

---

[25] J. Jeremias, Theophanie (1977²), 31.
[26] C. Macholz, in: FS Westermann (1980), 326-328.

den Kult Israels weniger klar sei.[27] Der Psalm finde sein Zentrum
in der *qwl* "Stimme" des Herrn. In V. 3-9 werde diese Stimme als
Mitte eines Gewittersturmes dargestellt. Es müsse deshalb gefragt
werden, in welchem Kontext das Lob des göttlichen Donners angemessen sei.[28] Hier gelte es, die Verbindung zwischen dem Meerlied (Ex 15,1-18) und Ps 29 zu beachten, sowie die Rolle des Sturmes in der althe. Kriegspoesie. Bezüglich Ex 15,1-18 lautet sein
Argument folgendermaßen: "The continuity with the Song of
the Sea may be seen in the following points: the use of '*z* 'strength'
in both texts (Exod 15:2,13 and Ps 29:1,11); the conjunction of
'*z* und *šm* 'name' (Exod 15:2-3 and Ps 29:1-2 ...); the reference
to the divine assembly (Exod 15:11 and Ps 29:1), and the stress
on the kingship of God (Exod 15:18 and Ps 29:10). On the basis
of these parallels it is suggested that Ps 29, like the song of the
Sea, must be interpreted initially as a *hymn of victory.*"[29]

Die Rolle des Sturmes in der alten he. Kriegspoesie bestätige
die Bestimmung von Ps 29 als eines *"hymn of victory"*. In der biblischen und außerbiblischen Kriegspoesie wie im Tukulti-Ninurta
Epos sei die Verbindung zwischen Sturm-Sprache und Kriegspoesie üblich.[30] Von diesen Voraussetzungen her gelangt P.C.
Craigie sodann zu folgendem Schluß: "The significance of the
'voice' of the Lord may now be interpreted in the light of the
above observations. In battle, the name of the war god was called
out in battle cries; thus, a description of an Egyptian pharaoh in
battle includes the following words: 'his battle cry is like (that of)
Baal in the heavens' (ANET, 249). The poet, in Ps 29, has developed the general storm imagery of war poetry and highlighted
the 'voice' of God as an echo of the battle cry..."[31]

Von diesem Ansatz her gelingt es P.C. Craigie folgende historische Abfolge von Texten zu rekonstruieren: "In summary, it is argued that Ps 29 reflects a particular stage in the development of
the Hebrew tradition of *victory hymns.* In the earlier stage, the

---

[27] P.C. Craigie, Psalms 1-50 (1983), 243.
[28] P.C. Craigie, Psalms 1-50 (1983), 245-246.
[29] P.C. Craigie, Psalms 1-50 (1983), 245.
[30] P.C. Craigie, Psalms 1-50 (1983), 245.
[31] P.C. Craigie, Psalms 1-50 (1983), 246.

hymns that have survived (e.g. the Song of the Sea, the Song of Deborah) are associated with particular victories. Ps 29 reflects a slightly later period in development (though it is one of the earliest psalms in the Psalter, to be dated provisionally in the eleventh/tenth centuries B.C.); it is a *general* victory hymn, though it was probably devised for use in the specific celebration of victories over Canaanite enemies (as implied by the Canaanite allusions). The initial setting for its use would have been in a victory celebration undertaken on the return of the army from battle or military campaign. At a later stage in the history of the psalm's use, it came to be a more general part of the resources for Israel's worship, though it was probably associated primarily with the Feast of Tabernacles."[32]

In dieser Bestimmung der Gattung von Ps 29 und seines "Sitzes im Leben" bilden zwei Hypothesen die Grundlage der Argumentation: 1. In Übereinstimmung mit z.b. D.N. Freedman[33] wird Ex 15,1b-18 zum ältesten poetischen Text der Bibel erklärt[34], und 2. wird Ps 29 als eine textologische Einheit betrachtet. Da jedoch das Meerlied Ex 15,1b-18 in die nachexilische Zeit zu datieren ist, kann aus den Berührungen von Ps 29 mit diesem Lied höchstens abgeleitet werden, daß auch Ps 29 in der späteren Zeit, in der nachexilischen Periode entstanden ist. Wenn wir ferner die nachträgliche Ergänzung von Ps 29 durch das Zitat 29.3.1.-29.9.2. in Betracht ziehen, ergibt sich, daß von den Prämissen her, die P.C. Craigie voraussetzt, Ps 29 kaum als ein alter "hymn of victory" klassifiziert werden sollte.

Nach F.M. Cross ist Ps 29 ein "Canaanite hymn preserved in the Psalter"[35]. In seiner israelitischen Form sei er nicht später als das

---

[32] P.C. Craigie, Psalms 1-50 (1983), 246.

[33] D.N. Freedman, PPP (1980), 118, datiert Ex 15 ins 12. Jh. v.Chr.

[34] P.C. Craigie, Psalms 1-50 (1983), 25, schreibt hierzu: "The origins of Israel as a nation are to be found in the Exodus from Egypt. It is that same event which marks the origin of Israel's psalmody. The Exodus was celebrated in a great hymn of praise, the Song of the Sea; that ancient hymn not only stands at the head of all Israel's hymns of praise, but it profoundly influenced many subsequent hymns and continues to be used in the synagogue to this day."

[35] F.M. Cross, CMHE (1973), 151.

10. Jh. v.Chr. Der Hymnus werde durch eine "Address to the Divine Council" eingeleitet (V. 1f.). Dann folge die Theophanie des Sturmgottes (V. 9), die mit einem Aufruhr in der Natur verbunden sei (V. 3-9b), auf die eine Erscheinung des Gottes "as victor and king enthroned in his temple" (V. 9cf.) folge.[36]

Ps 29 sei nun nicht dem "pattern" von Texten zuzuordnen, die den Auszug des göttlichen Kriegers zur Schlacht schilderten, sondern einem zweiten, das häufiger sei und das "the coming of the Divine Warrior from battle to his new temple on his newly-won mount"[37] beschreibe. Zum Hintergrund dieses Themas bemerkt er folgendes: "In the background is his victory over Sea or the flood-dragon, though it is often alluded to, especially in his being enthroned on the Flood. Primary is his manifestation as Victor and King in the storm. The roar of his voice awakens nature. The appearance of his radiant storm cloud is both awesome and fructifying. His rule is manifest in the fertility of the drenched earth, of seed and womb. The mountains dance before the lord of Life and all the trees clap their hands".[38]

F.M. Cross postuliert, daß jeder Sturm, jede Epiphanie Baals eine Rekapitulation seines Sieges über das "Meer" sei. Von dieser Prämisse her gelangt er zu folgender Sicht von Ps 29: "Thus in Psalm 29, in the central theophany, the 'voice' of the storm god is 'on the waters' or makes 'the highplaces of the earth shake', as well as making 'the heavens rain oil, the wâdîs run with mead."[39]

Gegen die von F.M. Cross vorgenommene Einordnung von Ps 29 wird einzuwenden sein, daß Ps 29 aus drei völlig verschiedenen Texten zusammengesetzt ist, aus denen keineswegs hervorgeht, daß Jahwe aus der Schlacht siegreich in seinen Palast als König zurückkehrt. Während im Mittelteil von Ps 29 die Erscheinung der Gottheit im Gewittersturm besungen wird (V. 3-9aαβ), thront in den Rahmentexten des Liedes (V. 1-2.9aγ-11) Jahwe über der Sintflut, ohne daß ersichtlich wäre, daß er gerade von einem sieg-

---

[36] F.M. Cross, CMHE (1973), 152.
[37] F.M. Cross, CMHE (1973), 156.162; siehe auch S. Rummel, in: RSP 3 (1981), 262-263.
[38] F.M. Cross, CMHE (1973), 156.
[39] F.M. Cross, CMHE (1973), 156.

reichen Kriegszug gegen seine Feinde zurückkomme. Die von
F.M. Cross vorgetragene Deutung von Ps 29 baut offensichtlich
auf der Einebnung der Differenzen zwischen den von der El-Tradition und den von der Baal-Tradition bestimmten Texten in Ps 29
auf. Außerdem wird das Sitzen über der Sintflut grundlos als Sieg
über den Drachen der Urflut interpretiert.[40]
Die von kolometrischen Momenten her nahegelegte Aufteilung von Ps 29 in die drei ursprünglich getrennten Texteinheiten
29.1.2.-29.2.2. + 29.9.3.; 29.10.1.-29.11.2.; 29.3.1.-29.9.2. und
die Bewertung von 29.3.1.-29.9.2. als eines kommentierenden,
sekundären Textes im Ganzen von Ps 29 dürfte zu erkennen geben,
daß es unmöglich ist, den Text als Einheit aufzufassen und ausge-
hend von dieser sog. "Einheit des Textes" eine Gattungsbestim-
mung vorzunehmen. Von der Entstehungsgeschichte des Textes
her gesehen ergibt sich die Notwendigkeit, zuerst und grundsätzlich die Gattung des jetzigen Rahmentextes, der zugleich der
Grundtext des Liedes geblieben ist, zu bestimmen. Demzufolge ist
Ps 29 als eine wahrscheinlich nicht mehr vollständig erhaltene
hymnische Aufforderung an den himmlischen Hofstaat zum Lob
des als König über der Sintflut thronenden Jahwe zu verstehen, die
dann später erweitert worden ist.
Wenn die mit den Ugarit-Texten arbeitenden Interpreten von
Ps 29 ein als Einheit verstandenes Lied mit den älteren ug. Dokumenten vergleichen, dann führen sie ohne Bedenken und Überle-
gen eine Anschauung der Tradition weiter. Sie erwecken den Eindruck, daß gerade dieses interpretatorische Leitbild durch die
neuen Textfunde bestätigt werde. H.L. Ginsberg hatte mit seiner
ersten Darstellung konsequent diesen Weg beschritten. Für ihn be-

---

[40] F.M. Cross, CMHE (1973), 156; siehe auch W. Schlißke, Gottessöhne
(1973), 52, der *mbwl* mit den Chaosfluten identifiziert. Er schreibt: "In V.
10 überraschen die plötzlichen Feststellungen vom Thronsitz über dem
Himmelsozean. War hier ursprünglich ausführlicher vom Urflut-Mythos die
Rede, etwa in dem Sinne, daß der Hymnus einst zur Siegesfeier den Gott-
könig verherrlichen sollte? Auch diese Aussage von Jahwes Königtum in
Ewigkeit geht letztlich auf die Aussage über Baals Königtum zurück, dem
Bestand und unbegrenzte Zukunft verheißen wurde. In Ps 29 ist nur die
Feststellung geblieben, daß Jahwe allein der Herr ist, auch über die Chaos-
fluten."; E.T. Mullen, Jr., The Assembly of the Gods (1980), 201.

stand folgerichtig nur das Problem, auf welchem Wege dieser kanaanäische Psalm in die Bibel gelangen konnte.[41] Das Idealbild der
Texteinheit verstellte von Anfang an den freien Blick auf das
schroffe Nebeneinander von Gewitter- und himmlischer Hof-Sze-
ne. Diesen Zwiespalt in Ps 29 konnte H.L. Ginsberg umso wir-
kungsvoller zum Verschwinden bringen, je mehr er Ps 29,10 von
jenen Stellen aus den ug. Baal-Texten her erklärte, die von Baals
siegreichem Niedersitzen auf seinem Königsthron berichten.[42] Dabei wurde die Chance eines Neubeginns der Interpretation von Ps
29 auf der Basis bisher unbekannter Texte und Einsichten vertan.
Gewicht der Tradition und Begeisterung für das Entdeckte behin-
derten sich in diesem Stadium der Entwicklung gegenseitig.

4.3. Datierung von Ps 29

Die Entstehungszeit von Ps 29 suchte man mit unterschiedlichen Argumenten zu begründen und festzulegen. Aus der Rede
über die Göttersöhne V. 1 leitete z.B. H. Gunkel ab, daß diese
göttlichen Wesen zweiten Ranges bereits im Grunde den Sieg des
Monotheismus über den Polytheismus ankündigten, wie ihn spätere Weissagung verkünde. Die Vorstellung, daß solche Wesen als ein
übermenschlicher Priesterchor Jahwe das Loblied singen, finde sich
schon Jes 6,3, sei also sicherlich alt.[43] Für eine späte Entstehung
von Ps 29 wurden gleichfalls Beweise vorgelegt. T.K. Cheyne
machte geltend, daß Ps 29 von einem "literary revival of Hebrew
mythology during and after the Exile"[44] zeuge. Im Gegensatz zu
H. Gunkel bewertet B. Duhm die Rede von den Göttersöhnen in
V. 1 als Anzeichen später Entstellung. Er schreibt: "Die Vorstel-

---

[41] Siehe Kap. 1 Anm. 17.
[42] H.L. Ginsberg, ACIO 19(1935.1938), 474-475, Formula of Baal's Triumph.
[43] H. Gunkel, Psalmen (1929[4]), 123; siehe ferner u.a. S. Landersdorfer, Psalmen (1922), 85; W.O.E. Oesterley, Psalms (1939), 199: "The psalm is certainly one of the earliest in the Psalter. It is perhaps owing to its age that the text
has suffered some corruption, and that the metre is somewhat irregular."
[44] T.K. Cheyne, The Psalter (1891), 202; ders., Pslams I (1904), 121.

lungen des Dichters vom überhimmlischen Ozean und von den als Priestern gedachten *bne elohim* sind Anzeichen des späten Ursprungs."[45] Die ug. Texte wurden von Anfang an für eine Frühdatierung von Ps 29 in Anspruch genommen. Von den Hypothesen über die Einheit des Textes und dessen Herkunft aus dem "phönizischen" Raum her war die Frühdatierung eine notwendige Folge.[46] H.L. Ginsberg beließ es bei der Vermutung, daß ein direkter phönizischer Einfluß während der Königszeit am wahrscheinlichsten sei.[47] D.N. Freedman nimmt in dieser Frage eine äußerst klare Haltung ein. Wenn er es auch in seiner Arbeit über Ps 29 aus dem Jahre 1973 noch bei der allgemeinen Feststellung beließ, daß der Text dem frühen Israel zugehöre[48], so wußte er dann 1976 eine Präzisierung anzugeben. Er vermeinte, mit Hilfe stilistischer Kriterien und des Gottesnamen JHWH Ps 29 an das von ihm früh datierte Lied Ex 15,1-18 annähern zu können. Sein Argument lautet: "With respect to the former [= stylistic criteria], Ps 29 employs repetitive parallelism to an extraordinary extent, comparable to both the Song of the Sea and the Song of Deborah, perhaps with greater affinity for the more elaborate patterns of the latter. With respect to divine epithets, the picture is very similar, though here there is a closer correlation with the Song of the Sea. The name Yahweh is emphasized overwhelmingly, occuring no fewer than eighteen times in the short span of eleven verses. The only other divine designation is *'ēl*, which occurs twice (vss. 1 and 3)."[49] Diese Gründe führen sodann D.N. Freedman zu folgendem Schluß: "In view of its affinities with the poems in Phase I, and possible thematic dependance on the Song of the Sea, Psalm 29 should be assigned to the latter part of the twelfth century, and in

---

[45] B. Duhm, Psalmen (1922²), 121; A. Bertholet, Psalmen (1923⁴), 151, der *b hdrt qdš* (V. 2) mit "in heiligem Schmuck" übersetzt, sieht in dieser Aussage über die Göttersöhne ein Zeichen jungen Alters der Psalms.

[46] Siehe Kap. 1 zu Anm. 19-24.

[47] H.L. Ginsberg, ACIO 19(1935.1938), 476.

[48] D.N. Freedman − C.F. Hyland, HTR 66(1973), 256: "We may be confident that we have the hymn substantially as it was composed for liturgical use in early Israel."

[49] D.N. Freedman, PPP (1980), 82.

any case not later than around 1100."[50] Auf diesem Wege gelingt
es ihm, Ps 29 unmittelbar auf Position zwei nach Exodus 15,1-18
zu plazieren.[51] Er befindet sich z.b. im Gegensatz zu W.F. Albright, zu dessen Deutung er bemerkt: "Albright discusses Ps 29,
describes it as very archaic, but finally suggests that it dates in final form from the fifth century B.C. In my opinion it is very archaic and belongs to Phase I, in the twelfth century."[52]

Da die Datierung von Ex 15,1-18 völlig umstritten ist und m.E.
die von D.N. Freedman vorgeschlagene Frühdatierung des nachexilischen Schilfmeerliedes ausgeschlossen ist[53], fehlt einer Datierung von Ps 29 durch Vergleich mit Ex 15,1-18 die Grundlage.
Desgleichen ist auch der "repetitive parallelism" in Ps 29 als Kennzeichen für ein hohes Alter kaum geeignet. Denn in Ps 29 wird der
Parallelismus membrorum nicht mehr in den komplizierten Formen der ug. Poesie wie z.B. Trikolon, Tetrakolon usw. verwirk-
licht, sondern nur noch in der einfacheren Form des Bikolons.
kbwd "Herrlichkeit" kann kaum unter Berufung auf das Ug. als
ein alter Gottesname gedeutet werden.[54]

Die von D.N. Freedman vorgeschlagene Datierung von Ps 29 ins
12. Jh. v.Chr. kann keinesfalls auf einem Vergleich des biblischen
Liedes mit ug. Texten aufgebaut werden. Eine Parallelisierung mit
letzteren legt im Gegenteil aus den angeführten Gründen eher eine
Spätdatierung nahe.

Auch für eine Datierung in die vormonarchische Zeit[55] oder ins
10. Jh. v.Chr.[56], die gleichfalls auf einem Vergleich mit ug. Texten
basiert, sprechen keine Hinweise. Wenig Überzeugungskraft ent-

---

[50] D.N. Freedman, PPP (1980), 83.

[51] D.N. Freedman, PPP (1980), 118.

[52] D.N. Freedman, PPP (1980), 118.

[53] Siehe zur Diskussion über Ex 15,1-18.21 u.a. W.H. Schmidt, Exodus, Sinai und Mose (1983), 65-66.

[54] Siehe Kap. 7.

[55] H.L. Ginsberg, A Strand in the Cord of Hebraic Hymnody, ErIs 9(1969),
45; H.-J. Kraus, Psalmen I (1978[5]), 70.

[56] F.M. Cross, CMHE (1973), 152, schreibt: "In its Israelite form it is not later than tenth century B.C. and probably was borrowed in Solomonic times.";
siehe ferner M. Dahood, Psalms I (1965), "Davidic period"; A.A. Anderson,
Psalms I (1972), 233, 10. Jh. v.Chr.; J.L. Cunchillos, Salmo 29(1976), 183.

halten auch die Verweise auf den archaischen Charakter des Liedes, die es als einen der ältesten Psalmen ausweisen sollen.[57] Einen neuen Weg der Datierung von Ps 29 hat P.C. Craigie beschritten. Er bestreitet, daß es ein sozusagen kanaanäisch-phönizisches Original von Ps 29 gegeben habe und spricht nur von einem kanaanäischen Fundament. Sein Fazit eines Vergleichs von Ps 29 mit ug. Texten lautet: "To summarize with respect to the Canaanite aspects of Ps 29: it is clear that there are sufficient parallels and similarities to require a Canaanite background to be taken into account in developing the interpretation of the psalm, but it is not clear that these parallels and similarities require one to posit a Canaanite/Phoenician original of Ps 29."[58]

In Anlehnung an D.N. Freedman[59] verbindet er die Datierung von Ps 29 mit der von Ex 15,1-18. Das Meerlied ("Song of the Sea") steht für ihn nicht nur am Anfang israelitischer Psalmdichtung[60], sondern stelle als Siegeslied in der Linie von Ex 15,1-18 und des Debora-Liedes (Jdc 5,4-21) eine jüngere Entwicklung dar. Sein Argument lautet: "In summary, it is argued that Ps 29 reflects a particular stage in the development of the Hebrew tradition of *victory hymns*. In the earlier stage, the hymns that have survived (e.g. the Song of the Sea, the Song of Deborah) are associated with particular victories. Ps 29 reflects a slightly later period in development (though it is one of the earliest psalms in the Psalter, to be dated provisionally in the eleventh/tenth centuries B.C.); it is a *general* victory hymn, though it was probably devised for use in the specific celebration of victories over Canaanite enemies (as implied by the Canaanite allusions). The initial setting for its use would have been in a victory celebration undertaken on the return of the army from battle or military campaign. At a later stage in the history of the psalm's use, it came to be a more general part of the resources for Israel's worship, though it was probably associated primarily with the Feast of Tabernacles."[61]

---

[57] Siehe z.B. E. Podechard, Psautier I (1949), 138; L. Jacquet, Psaumes I (1975), 636.

[58] P.C. Craigie, Psalms 1-50 (1983), 245.

[59] Siehe zu Anm. 49-54.

[60] P.C. Craigie, Psalms 1-50 (1983), 25-26.

Auch in dieser Datierung werden einige Hypothesen von wenig
Tragfähigkeit vorausgesetzt. Ps 29 wird als ein einheitlicher Text
interpretiert. Die Geschichte des Wachstums des Textes durch Zusätze und Kommentierung wird deshalb dann folgerichtig als die
eines unterschiedlichen Gebrauchs in der Liturgie erklärt.[62] Außerdem wird ein hohes Alter von Ex 15,1-18 angenommen.[63]

W.F. Albright hat seine frühere Datierung von Ps 29 ins 10. Jh.
v. Chr.[64] später korrigiert. Seine Schlußfolgerung hat er folgendermaßen formuliert: "In some Psalms such as 29, the text of which
is very corrupt, it is quite impossible to tell what the date of the
original composition may have been. I suspect that it passed
through a number of different stages between Middle Bronze and
its final redaction about the fifth(?) century B.C."[65] Bei diesem
Versuch einer Datierung wird ein altes, einheitliches Textstratum
angesetzt, das eine Verschlechterung und eine nicht des Näheren
bestimmte Redaktion erfahren habe.

Von einem ganz anderen Standpunkt in der Datierung gehen
z.B. jene Gelehrte aus, die einen sozusagen kanaanäischen Ps 29
als Ausgangspunkt ihrer Überlegungen ablehnen und statt dessen
vom jahwistischen Grundzug des Liedes sprechen. Im Anschluß an
die Arbeiten von A. Robert, M. Delcor und R. Tournay argumentiert z.B. A. Deißler, daß aus der Nähe zu außerbiblischen Gewit-
terhymnen nicht folge, daß er eine Übernahme, dazu noch in
früher Zeit darstelle. Schon rein äußerlich sei er "jahwistisch" wie
kein Psalm sonst. Bringe er doch achtzehnmal in elf Versen den
Namen Jahwe. Die in Ps 29 beschriebene Theophanie habe die
größten Ähnlichkeiten mit den Geschehnissen, die hinter Sach
9-14 ständen. Der Autor sei ein Mann, der die Schrift kenne und in
schwerer nachexilischer Zeit die sich anbahnenden Ereignisse in
ihrem Lichte interpretiere. Seine Sicht des Verfassers von Ps 29 ist
sodann folgende: "Er ist ein großer Dichter, aber ein noch größe-

---

[61] P.C. Craigie, Psalms 1-50 (1983), 246.
[62] Siehe Ende des Textes zu Anm. 45.
[63] Siehe Anm. 53.
[64] W.F. Albright, Die Religion Israels im Lichte der archaeologischen Ausgrabungen (1956), 146.
[65] W.F. Albright, YGC (1968), 222.

rer, 'prophetisch' inspirierter Theologe, der das kanaanäische Lied auf den Wettergott Baal-Hadad sehr wohl kennt, aber es höchstens als 'Vorentwurf' nimmt, um ihn mit dem Wort der Jahweoffenbarung zugleich auszugestalten und umzugestalten, zugleich zu erfüllen und zu transzendieren."[66]

In dieser Datierung wird eine Einheit des Textes auf Grund einer prophetisch inspirierten Dichterpersönlichkeit postuliert. Außerdem wird von der Hypothese über die Einheit des Liedes her gefolgert, daß das geographische Bild des Psalms, das in seinem Endstadium als Ergebnis einer Glossierung und Kommentierung zu deuten ist[67], der Datierung des Liedes in die Zeit Alexanders des Großen diene.

B. Margulis hat das geographische Argument, das auch nach ihm für die Ausdehnung des in Ps 29 geschilderten Gewitters bis tief in den Süden spricht[68], mit dem einer kanaanäischen kbwd-Theologie verbunden und daraus die zweite Hälfte des 10. Jh. v.Chr. als terminus post quem ermittelt. Das Lied sei innerhalb der Jerusalemer Kulttradition höchst wahrscheinlich vor 800 v. Chr. entstanden.[69]

Da es weder möglich ist, die ursprüngliche Geographie von Ps 29 bis an den Golf von Aqaba auszudehnen[70] und auch von einer kanaanäischen kbwd-Theologie keine Rede sein kann[71], scheidet auch diese Frühdatierung aus.

Bei einer Datierung von Ps 29 haben wir von der Erkenntnis auszugehen, daß der Grundstock des Liedes in 29.1.2.-29.2.2. + 29.9.3. vorliegt und 29.3.1.-29.9.2. sowie 29.10.1.-29.11.2. später hinzugekommen sind. Es ist deshalb a priori möglich, daß für den Einschub 29.3.1.-29.9.2. als auch für den letzten Teil 29.10.1.-29.11.2. ganz andere Entstehungsgeschichte zu formulieren ist als für den Kern von Ps 29.

---

[66] A. Deißler, in: FS Junker (1961), 57-58. R.J. Tournay, CiTo 106(1979), 748-752, hat diese Position erneut verteidigt.

[67] Siehe Kap. 8.

[68] B. Margulis, Bib 51 (1970), 346-348.

[69] B. Margulis, Bib 51 (1970), 348.

[70] Siehe Kap. 8.

[71] Siehe Kap. 7.

Die gewichtige Rolle des der späten nachexilischen jüdischen
Theologie zuzuweisenden Begriffes *kbwd* "Herrlichkeit" (V.
1.2.9)[72], die spezielle Konzeption der Sintflut (V. 10)[73] sowie die
Stellung des Königtums Jahwes (V. 10)[74] weisen auf eine nachexilische Entstehungszeit des Liedes hin. Die kanaanäischen und
altorientalischen Elemente erscheinen hier in der Sicht der jüdischen Theologie. Dies trifft auch für den Einschub über Jahwes
Erscheinen im Gewitter zu (V. 3-9aα).

Wenn wir auf die Hypothesen der Einheit des Textes und eines
hohen Alters von Ex 15,1-18 verzichten, dann wird jeder Argumentation für ein hohes, vorexilisches Alter von Ps 29 der Boden entzogen. Es erübrigt sich dann, das nachexilische Lied Ps 29
als den ältesten oder einen der ältesten Psalmen anzusehen.

Fassen wir alle Argumente zusammen, so ergibt sich folgendes
Bild: Ps 29 ist wegen seines Aufbaus und seiner Gattung den späten "Mischgattungen"[75] zuzuzählen und deshalb am ehesten im
nachkultischen Raum der nachexilischen Zeit[76] entstanden.

---

[72] Siehe Kap. 7.
[73] Siehe Kap. 9.
[74] Siehe Kap. 10.
[75] Siehe hierzu F. Stolz, Psalmen im nachkultischen Raum (1983), 23-27.
[76] F. Stolz, Psalmen im nachkultischen Raum (1983), 18-23.

KAPITEL 5

UG. *hdrt* (KTU 1. 14 III 51) UND HE. *hdrh* IN PS 29,2b

In der Diskussion über den kanaanäischen Ursprung von Ps 29 kommt der Hypothese, daß *hdrt* in Ps 29,2b von ug. *hdrt* her zu erklären sei, eine große Bedeutung zu. Der Wert dieses Argumentes wird sowohl hoch veranschlagt als auch bestritten. Eine genaue Überprüfung von pro und contra dürfte deshalb angezeigt sein.

Von einer Reihe von Interpreten wird angenommen, daß die Erklärung von *hdrt* durch die ug. Texte in ein neues Licht getreten sei. Nach H.-J. Kraus bietet sich folgendes Bild an: "In KRT 155; 145,5 steht *hdrt* parallel zu *hlm* (= 'Traum', 'Vision') und hat offensichtlich die Bedeutung 'Offenbarung', 'Erscheinung' ('theophany' C.H. Gordon, Ugaritic Handbook: Analecta Orientalia 25, 1947, III 225). Diese Bedeutung ist auch für Ps 96,9; 1 Ch 16,29 vorauszusetzen, während der archaische Begriff schon in 2 Ch 20,21 zu der im AT bekannten Wurzelbedeutung von *hdr* (= 'Schmuck') hin tendiert."[1]

M. Dahood setzt ein *hdrt* "theophany" an und begründet dies mit dem Synonym *hlm* im Ug.[2] Er folgt hiermit F.M. Cross, der bereits 1950[3] eine Verbindung zwischen ug. *hdrt* und he. *hdrh* in Ps 29,2 hergestellt hatte, und der auch später folgendermaßen argumentierte: "... *hdrt* here probably means 'apparition', as in the KRT text, CTA, 14.3.155, where it is in parallelism with *hulumu*, 'vision', 'dream'."[4] Dieser von F.M. Cross vorgeschlagenen Deutung aufgrund des ug. Wortpaares *hdrt*//*hlm* folgen z.B. H. Cazelles[5], B. Margulis[6], H. Strauß[7], D.N. Freedman – C.F. Hyland[8] und J. Gray[9]. Obwohl in HAL (S. 230) für *hdrh* die Be-

---

[1] H.-J. Kraus, Psalmen I (1978[5]), 377.

[2] M. Dahood, Psalms I (1965), 176.

[3] F.M. Cross, BASOR 117 (1950), 20-21.

[4] F.M. Cross, CMHE (1973), 152 Anm. 28.

[5] H. Cazelles, Une relecture du Psaume XXIX? (1961), 121.127.

[6] B. Margulis, Bib 51 (1970), 313-334.337.

[7] H. Strauß, ZAW 82 (1970), 93.

[8] D.N. Freedman – C.F. Hyland, HTR 66 (1973), 243, "theophanic vision", "divine appearance".

deutung "Schmuck, Erhabenheit" notiert wird, findet auch ein
Verweis auf ug. *hdrt* statt.
  A. Caquot nannte den Vorschlag von F.M. Cross ein obscurium
per obscurius.[10] Er lehnt es ab, in he. *hdrh* einen Terminus für
"Theophanie" zu sehen. Denn Ps 29,2b sei folgendermaßen zu
übersetzen: "Prosternez vous devant Yahwéh en lui donnant la
Majesté sainte". Die "Majestät" Jahwes sei eine Qualität, die der
Anbetende ihm zuspreche und die er verkünde. Mit A. Caquot leitet auch R.J. Tournay *hdrh* von *hdr* ab.[11]
  Es wird deshalb nicht Erstaunen erregen, daß mehrere Autoren
entweder G (S)[12] folgen und ἐν αὐλῇ = b *ḥṣr(w)t*[13], oder sogar
ḥdrt "Wohnung" als Lesung vorschlagen.[14] Eine Reihe von Interpreten versteht jedoch weiterhin *hdrh* in Ps 29,2 als Bezeichnung
für die heilige Kleidung oder den heiligen Schmuck, der vor Gott
bei dessen Lobpreis zu tragen sei.[15]
  Die vorgenommenen Vergleiche von ug. *hdrt* mit he. *hdrh* werden von den Autoren auf der Hypothese aufgebaut, daß *hdrt* als
ug. Wort gesichert sei. Da jedoch in *hdrt* ein Schreibversehen für
d/d̲(h)rt vorliegt[16], fehlt der Gleichsetzung ug. *hdrt* = he. *hdrh* je-

---

[9] J. Gray, BDRG (1979), 40 mit Anm. 4.

[10] A. Caquot, "In splendoribus sanctorum", Syria 33 (1956), 40; so auch
W.H. Schmidt, Königtum (1966²), 56 Anm. 3; J. Coppens, ETL 53 (1977),
318, "dans l'éclat de sainteté".

[11] A. Caquot, Syria 33 (1956), 38; R.J. Tournay, CiTo 106 (1979), 739,
"majestad sagrada"; vgl. G. Warmuth, TWAT 2 (1977), 357-363.

[12] BHSa.

[13] H. Herkenne, Psalmen (1936), 124; E. Podechard, Psautier I (1949), 135;
R. Tournay − R. Schwab, Psaumes (1955²), 151, "dans son parvis de sainteté"; T.H. Gaster, Myth (1969), 748-749; L. Jacquet, Psaumes I (1975), 641.

[14] E. Vogt, Bib 41 (1960), 24 Anm. 1.

[15] C.A. Briggs, Psalms I (1906), 251, "in holy ornaments"; H. Gunkel, Psalmen (1929⁴), 125; H. Schmidt, Psalmen (1934), 53; B.D. Eerdmans, OTS
4 (1947), 197.199; E. Dhorme, Psaumes (1959), 947, "en ornements sacrés";
E.J. Kissane, Psalms (1964), 125-126; H. Donner, ZAW 79 (1967), 331-333;
S. Mittmann, VT 28 (1978), 174 mit Anm. 5, "im heiligen Ornat"; C. Macholz, in: FS Westermann (1980), 325 mit Anm. 2; P.C. Craigie, Pslams 1-50
(1983), 242-243, "in holy attire".

[16] O. Loretz, UF 6(1974), 185-186; M. Dietrich − O. Loretz, SEL 1 (1984),
85-88; siehe ferner P.C. Craigie, Psalms 1-50 (1983), 243.

de Grundlage. Es erübrigt sich deshalb, von den ug. Texten her eine Lösung für *hdrh* in Ps 29,2 zu suchen.

In Ps 29,2 zerdehnt *hdrh* offensichtlich das Kolon, so daß es am ehesten als eine Angleichung an die Formulierung *b hdrt qdš* von Ps 96,9 und I Chr 16,29 zu verstehen ist.[17]

Die Parallelisierung von he. *hdrh* in Ps 29,2 mit dem ug. Schreibfehler *hdrt* beruht letztlich auf der irrigen Annahme, daß auch im Falle von Ps 29,2 ein einheitlich-ursprünglicher früher Text ohne Geschichte vorliege.

[17] Siehe Kap. 13.

KAPITEL 6

DIE FORMULIERUNG *bnj 'ljm* IN PS 29,1

Die Formulierung *bnj 'ljm* wird als das wohl am meisten hervorstechende Kennzeichen der kanaanäischen Herkunft von Ps 29 angesehen. Der Terminus wird "ein massiver Kanaanismus"[1] genannt oder als ein Hinweis auf das kanaanäische Pantheon[2] gewertet. Die status constructus-Verbindung *bnj 'ljm* hat äußerst unterschiedliche grammatische und inhaltliche Deutungen erfahren. Einige Gelehrte nehmen an, daß ein he. Schreiber das enklitische *mem* falsch verstanden habe. Denn das *bnj 'ljm* stehe für *bnj 'l + m* "gods"[3]. D.N. Freedman wiederum übersetzt *bnj 'ljm* mit "sons of El". Seine Begründung lautet: "The word *'ēlīm* should be interpreted, therefore, as the divine name, El, with the genitive case ending and the enclitic *mem*. The phrase is equivalent to *'ēlīm*, 'gods', in Exod. 15:11."[4] Diese Lösung vertreten z.B. F.M. Cross[5], M. Dahood[6], E.T. Mullen Jr.[7].

bnj 'ljm wird auch als Plural von *bn 'l* "Sohn Gottes" interpretiert.[8] J.L. Cunchillos hat die *bnj 'ljm* mit den natürlichen Kräften identifiziert, über die Jahwe nach Ps 29 den Sieg erringe.[9] Mehrere Autoren verstehen unter *bnj 'ljm* "Gottessöhne" oder "Göttersöhne" eine Bezeichnung der Engel.[10] Es wurde auch zum Ausdruck

---

[1] A. Deißler, in: FS Junker (1961), 53.

[2] H.L. Ginsberg, ErIs 9 (1969), 45; B. Margulis, Bib 51 (1970), 335.

[3] J. Gray, BDRG (1979), 40 mit Anm. 3.

[4] D.N. Freedman – C.F. Hyland, HTR 66 (1973), 242 mit Anm. 7, berufen sich auf M. Dahood, Bib 49 (1968), 89-90; D.N. Freedman, PPP (1980), 82.116.

[5] F.M. Cross, CMHE (1979), 152 mit Anm. 25; 155, übersetzt "sons of 'El'".

[6] M. Dahood, Psalms I (1965), 174-175, führt *bnj 'ljm*, das er mit gods = angels übersetzt und als demythologisierten Begriff versteht, ursprünglich auf ug. *bn ilm* "the sons of El" zurück; siehe ders., in: RSP 3 (1981), 19, Nr. 17d.

[7] E.T. Mullen Jr., The Assembly of the Gods (1980), 200.

[8] M. Pope, El (1955), 9; W. Schlißke, Gottessöhne (1973), 47 Anm. 3; P.C. Craigie, Psalms 1-50 (1983), 242.

[9] J.L. Cunchillos, Salmo 29 (1976), 45.195-196.

[10] F. Wutz, Psalmen (1925), 63; H. Herkenne, Psalmen (1936), 124; H. Ca-

gebracht, daß die Formulierung *bnj 'ljm* die Entmächtigung der *bnj 'l* "El Söhne" anzeige, so daß die Doppelpluralbildung *bnj 'ljm* der Polemik entstamme, so wie dies in Ps 89,7 der Fall sei.[11] H. Gunkel deutete *bnj 'ljm* als eine dichterische Form für das gewöhnliche *bnj 'lhjm*, das entweder Wesen bedeute, die zur Gattung *'ljm* gehörten, oder, mehr mythologisch "Söhne der *'ljm*", von diesen Erzeugte.[12]

A. Deißler zufolge ist *bnj 'ljm* eine Bezeichnung der Himmlischen, zugleich ein massiver Kanaanismus, der am besten der archaisierenden mythologiefreundlichen Epoche nach 600 v. Chr. zuzurechnen sei.[13]

B. Margulis läßt es offen, ob *bnj 'ljm* mit "sons of El" oder "sons of the gods" zu übersetzen sei. Denn eine Entscheidung zwischen einem Plural *'ljm* und einem Singular plus *mem* encliticum sei hier nicht weniger schwierig als in den ug. Texten.[14]

Wenn es auch kaum einem Zweifel unterliegen kann, daß die Formulierung *bnj 'ljm* letztlich auf *bnj 'l* "Söhne Els"[15] zurückgeht[16], so dürfte doch der Plural *'ljm* "Götter" noch näher zu erklären sein.

Die Formulierung *bnj 'ljm* erweckt den Eindruck, eine he. Wiedergabe des ug. *bn il(+m)* "Söhne Els" zu sein. Da jedoch im Ug. für "Söhne Els" nur die Ausdrücke *bn il*[17] und *bn ilm*[18] belegt

zelles, Une relecture du Psaume XXIX? (1961), 120; M. Dahood, Psalms I (1965), 175; A.A. Anderson, Psalms I (1972), 234; J. van der Ploeg, Psalmen I (1973), 193; L. Jacquet, Psaumes I (1975), 641; H.-J. Kraus, Psalmen I (1978[5]), 380; R.J. Tournay, CiTo 106 (1979), 704.737-739, übersetzt "hijos de los dioses" und bemerkt hierzu folgendes: "Estas divinidades paganas de Canaán han sido asimiladas a los ángeles, y éstos adoran a su Señor, a quien son referidos los atributos del gran Ba'al de la tormenta."

[11] J. Morgenstern, HUCA 14 (1939), 39 Anm. 22; siehe auch W. Schlißke, Göttersöhne (1973), 50.51 Anm. 20.

[12] H. Gunkel, Psalmen (1929[4]), 125.

[13] A. Deißler, in: FS Junker (1961), 53.

[14] B. Margulis, Bib 51 (1970), 334-335.

[15] A. Cooper, in: RSP 3 (1981), 431-441.

[16] Siehe zu Anm. 1-8; A. Cooper, in: RSP 3 (1981), 435-436.

[17] Siehe z.B. *bn il dr bn il mpḫrt bn il* (KTU 1.65: 1-3).

[18] Siehe z.B. in *bn ilm mt* (KTU 1.5 II 20); M.H. Pope, El (1955), 9.59, be-

sind und in beiden Fällen nur von *il(+m)* "El" die Rede ist, besteht zwischen ug. *bn il(+m)* und he. *bnj ʾljm* kein unmittelbarer Zusammenhang: ug. *bn il(+m)* ‡ he. *bnj ʾljm*. Das he. *bnj ʾljm* stellt deshalb weder einen massiven Kanaanismus dar[19], noch das Mißverständnis eines ug. *bn ilm* von seiten eines he. Schreibers.[20]

Das *bnj ʾljm* wird auf ein *bnj ʾl* "Söhne Els" zurückgehen, so daß hier eine zu *ʿdt ʾl* "Versammlung Els" (Ps 82,1) parallele Wortbildung vorliegt. Erst im Laufe der Bemühungen, den polytheistischen Hintergrund zurückzudrängen, haben die jüdischen Gelehrten das *ʾl* "El" des Textes pluralisiert und dadurch unkenntlich gemacht.[21] Sie haben durch ihr *bnj ʾljm* "Göttersöhne" eine Zwitterbildung geschaffen, die nur zu einer Zeit Sinn haben konnte, als die Einzigartigkeit Jahwes über alle Zweifel erhaben war und deshalb alle Götter und gottähnlichen Wesen als unter Jahwe stehend gekennzeichnet wurden.

Der Ausdruck *bnj ʾljm* "Göttersöhne" stellt somit eine relecture, Modernisierung eines kanaanäischen *bnj ʾl(+m)* "Söhne Els" vom Standpunkt der nachexilischen jüdischen Theologie dar. Es ist deshalb kaum ein Zeugnis für das hohe Alter von Ps 29, sondern eher ein sicherer Hinweis auf dessen nachexilische Redaktion.

Die Einzigartigkeit der Formulierung *bnj ʾljm* (Ps 29,1; 89,7[22]), war wohl auch der Grund für die Doppelung υἱοὶ θεοῦ und υἱοὶ κριῶν in G.[23].

Wollte man der Eigenart von *bnj ʾljm* gerecht werden, dann müßte man im Zweifarbendruck über dem Untergrund von *bnj ʾl* bzw. *bnj ʾl+m* "Söhne Els" *bnj ʾljm* "Söhne der Götter" = Engel drucken.

merkt zu Ps 29,1 und 89,7 folgendes: "Whether *ēlîm* in this expression has singular meaning is uncertain ... The same applies to the Ugaritic *bn ilm*."

[19] Siehe Anm. 1 und 13.

[20] Vgl. J. Gray, BDRG (1979), 40 Anm. 4, sowie die in Anm. 4-7 genannten Autoren.

[21] J. Morgenstern, HUCA 14 (1939), 39 Anm. 22.

[22] BHSa.

[23] BHSb; HAL, S. 47: *ʾl* V; F. Wutz, Psalmen (1925), 63; siehe ferner D. Gualandi, Bib 39 (1958), 483; L. Jacquet, Psaumes I (1975), 641.

Eine besondere Erklärung der Formulierung *bnj 'ljm* hat E. Dhorme gegeben. Er kommentiert seine Übersetzung "fils de Dieu" folgendermaßen: "Ce sont des êtres de nature divine qu'on identifie aux Anges. Ici, d'après le contexte, ils représentent les Lévites transformés par leurs fonctions en fils de Dieu, ce qui permet de les revêtir d'ornements sacrés: I Chroniques, XVI, 29; II Chroniques, XX, 21."[24]

---

[24] E. Dhorme, Psaumes (1959), 947.

KAPITEL 7

DIE GOTTESBEZEICHNUNG 'l hkbwd
"DER HERRLICHE GOTT, DER GOTT DER HERRLICHKEIT"
UND kbwd ALS GOTTESNAME IN PS 29

Im Rahmen von Ps 29 kommt dem Wort kbwd "Ehre, Herrlichkeit" eine zentrale Bedeutung bei. Es war deshalb folgerichtig, daß bei den Versuchen der Rückführung des Liedes auf eine ug.-kanaanäische Vorlage auch dieser Begriff von der ug.-kanaanäischen Religiosität abgeleitet wurde.

7.1. 'l hkbwd "der herrliche Gott, der Gott der Herrlichkeit"

Das Kolon 'l h kbwd hr'jm "der Gott der Herrlichkeit ließ donnern" V. 3 aβ stellt uns nicht nur wegen seiner störenden Position innerhalb des Bikolons V. 3aa.b[1], sondern auch wegen der Formulierung 'l hkbwd "Gott/El der Herrlichkeit" vor Probleme. Wenn es gelingt, sowohl die kolometrische Stellung dieses Kolons zu bestimmen als auch dessen Inhalt zeitlich zu orten, dann dürfte ein weiterer Ansatzpunkt zur Aufhellung der Entstehungsgeschichte von Ps 29 gefunden sein.

Die Vertreter der Frühdatierung von Ps 29 versuchen eine kanaanistische Erklärung des Gottesnamens 'l hkbwd.[2] W.H. Schmidt führt z.B. aus, daß schon im Anfang der Gewittertheophanie mit dem Gottesnamen 'l hkbwd die El- und Baal-Tradition miteinander verknüpft wurden, und sie deshalb literarisch nicht mehr auseinanderzuhalten seien. Er stellt deshalb folgende Frage: "Wenn nach den bisher veröffentlichten ugaritischen Mythen kaum beide Vorstellungsreihen auf denselben Gott bezogen werden können, sollte da nicht doch der Psalm erst in Israel entstanden sein, wo alle Aussagen von Jahwe gemacht werden?"[3]

---

[1] Siehe zur kolometrischen Einordnung von V. 3a die Ausführungen in Kap. 3 zu 29.3.1.-29.3.3.

[2] C. Westermann, in: THAT 1 (1971), 803-804; D.N. Freedman, PPP (1980), 82-83; T.N.D. Mettinger, Dethronement (1982), 107.118-119.

[3] W.H. Schmidt, Königtum (1966[2]), 57-58.

W.H. Schmidt versucht, den Begriff *kbwd* "Herrlichkeit" direkt
mit der ug. Literatur zu verbinden. Aus der Verwendung von *kbd*
D "Ehren erweisen" in ug. Texten, die von der Ehrung Els han-
deln[4], leitet er folgendes ab: "Das Alte Testament bestätigt diesen
Zusammenhang zwischen dem Gottkönigtum Els und der 'Ehre'-
Akklamation, indem es selbst einen Beleg dafür bringt, daß dem
Gott El 'Ehre' dargebracht wird."[5] Er verweist auf Ps 19,2; 97,7;
22,29-30; 29,2b; 95,6; 96,9; 99,5.9; Sach 14,16f. So finde sich in
Ps 24,7-10 neben den anderen Titeln Jahwes, die ganz verschiedener Tradition entstammten, geradezu "König der Ehre". Aus diesen Prämissen leitet er sodann ab: "Man wird also mit der Annahme kaum zu weit gehen, daß solche Züge im Alten Testament ihren Ursprung in Els Königtum haben, d.h. daß die in Jerusalem
ansässige Vorstellung vom *kbwd* Gottes der kanaanäischen Religion entstammt. Zwar verweist die 'Ehr'-erbietung nicht mit ein-
deutiger Ausschließlichkeit, sondern nur mit großer Wahrscheinlichkeit auf eine El-Tradition, doch wird die Vermutung eines solchen Zusammenhanges durch die weitere Frage bestätigt: Wer
bringt die Huldigung dar?"[6]

Auf die Schwächen, die dieser Argumentation innewohnen, hat
W.H. Schmidt mit dankenswerter Offenheit selbst hingewiesen.
Denn aus dem Gebrauch des Verbums *kbd* D "ehren"[7] läßt sich
kaum die besondere *kbwd*-Theologie der atl. Schriften ableiten.
Selbst wenn die *bnj 'ljm* "Göttersöhne"[8] Jahwe ehren, kann dar-

---

[4] KTU 1.1 III 3; 1.3 III 10. VI 10; 1.4 VIII 28f.; siehe ferner 1.1 II 17. III
25; 1.2 III 6; 1.4 IV 26; 1.6 I 38; 1.17 V 20,30. VI 51.

[5] W.H. Schmidt, Königtum (1966[2]), 25; siehe auch R. Rendtorff, Offenbarungsvorstellungen (1961), 46, bemerkt zu *kbwd* in Ps 19 und 29 folgendes:
"Nun ist es gewiß kein Zufall, daß dieser Gebrauch von kbwd in den beiden
Psalmen erscheint, deren außerisraelitische, kanaanäische Herkunft am deutlichsten erkennbar ist."

[6] W.H. Schmidt, Königtum (1966[2]), 26.

[7] Siehe zu ug. *kbd* Anm. 4; siehe zu akk. *kabātu* D "schwer machen, ehren"
(AHw, S. 416: *kabātu*; CAD K, S. 17-18: *kabātu* 5.-6.). Siehe zur Diskussion
über akk., ug. und he. *kbd/t* u.a. R. Albertz, Hintergrund und Bedeutung des
Elterngebots im Dekalog, ZAW 90 (1978), 348-378; F.-L. Hoßfeld, Dekalog
(1982), 71-72; J.C. de Moor, Uw God is mijn God (1983), 57-58.

[8] Siehe Kap. 6.

aus z.B. im Falle von Ps 29,2 nicht unbedingt erschlossen werden, daß sozusagen direkt oder indirekt ug. Material vorliege. Der von W.H. Schmidt vorgetragenen Argumentation zu *kbwd* wird man deshalb nur zustimmen, wenn man auch bereit ist, seine generelle Hypothese über Ps 29 zu übernehmen. Diese lautet: "Es gilt bereits allgemein, 'daß Ps 29 wahrscheinlich unmittelbar auf einen kanaanäischen Baal-Hymnus zurückgeht'; an die Stelle des kanaanäischen Gottes ist Jahwe getreten."[9]

Eine sehr eigenwillige Deutung des Gottesnamens *'l hkbwd* hat auch F.M. Cross vorgetragen. Er geht von der Annahme aus, daß *kbwd* in V. 2 und 9 ein terminus technicus sei, den er folgendermaßen definiert: "... *kābōd* appears to be a technical term, namely the refulgent and radiant aureole which surrounds the deity in his manifestations or theophanies."[10] Der Ursprung des Ausdrucks sei unklar. Er neigt dazu, *kbwd* von der Bezeichnung *'nn kbd* "Storm cloud" abzuleiten und mit Jahwes Theophanie im Sturm in Beziehung zu setzen.

Die von F.M. Cross verteidigte Auslegung vertritt auch B. Margulis, der *'l h kbwd hr'jm* mit "The God of 'the Honour(-cloud)' has thundered" übersetzt[11]. Er spricht zugleich von einer " 'Canaanite *kābôd*-theology', standing in a direct line of historical development with the subsequent Israelite manifestation."[12] Dies sucht er wohl vergeblich durch den ug. Text *w yqr il ytb b 'ttrt* (KTU 1.108:2)[13], den er mit "(while) the Honour of El sits (enthroned) in Ashtaroth" übersetzt[14], zu erweisen.

In seinen Ausführungen zur *kbwd*-Theologie weist auch T.N.D. Mettinger Ps 29,3 eine bedeutsame Stellung als Bindeglied zwischen der kanaanäischen und nachexilischen Tradition zu.[15] Er zählt Ps 29,3 zu den Belegen, daß *kbwd* in vorexilischer Zeit ein göttliches Attribut bezeichne, während es dann später eine Ver-

---

[9] W.H. Schmidt, Königtum (1966[2]), 55.
[10] F.M. Cross, CMHE (1973), 153 Anm. 30.
[11] B. Margulis, Bib 51 (1970), 334.
[12] B. Margulis, Bib 51 (1970), 343.
[13] Siehe Kap. 12.
[14] B. Margulis, Bib 51 (1970), 344.
[15] T.N.D. Mettinger, Dethronement (1982), 107.117-119.

dichtung erfahren habe. Er stellt die Entwicklung folgendermaßen
dar: "Corresponding theological use of *kābôd* in connexion with
the kingship of God is also well attested. When God makes his
triumphal progress into the Temple, for example, he is appropiate-
ly referred to as *melek hakkābôd,* 'the king of Glory' (Ps 24:7-10).
The fact that this represents ancient usage is evident in Ps 29,
where we encounter the variant *'ēl hakkābôd* (Ps 29:3); this psalm
also uses *kābôd* in conjunction with the acclamation of God as
King (vv 1,2,9). This usage is certainly derived from Canaanite
practice[16], since the root *k-b-d* occurs in the Ugaritic texts precisely in formulations referring to the homage paid before El's
throne."[17]

F. Stolz will aus *'l hkbwd* "der El des Kabod" erschließen, daß
tatsächlich ursprünglich El der Gott der Gewittertheophanie in diesem Hymnus sei und daß er in dieser Charakteristik mit Jahwe
identifiziert worden sei.[18] Von dieser Basis aus gelangt er dann
zum Schluß, daß Baal in Jerusalem nicht verehrt worden sei.[19]

Da es bisher nicht möglich war, einen ug. Gottesbegriff *il kbd*
als Parallele zu he. *'l hkbwd* nachzuweisen, und in den ug. Texten
nur allgemein das Verbum *kbd* D "ehren" belegt ist,[20] wird man
davon abzusehen haben, das he. *'l hkbwd* direkt oder auch nur indirekt vom Kanaanäischen her zu erklären oder auf vorisraeliti-
sche Traditionen zurückzuführen.

Von der kolometrischen Struktur her ergibt sich bereits, daß der
Text *'l h kbwd hr'jm* ein späterer Einschub sein muß.[21] Allein von
diesem Standpunkt aus gesehen fehlt jede Möglichkeit, diese Aussage direkt mit einer kanaanäischen Tradition in Verbindung zu
bringen.[22] Da außerdem den ug. Texten ein *il kbd* unbekannt ist,

---

[16] T.N.D. Mettinger, Dethronement (1982), 118: "Ps 29:3 exhibits a very
ancient attestation of *kābôd* in Connexion with a theophany ...".
[17] T.N.D. Mettinger, Dethronement (1982), 117; ähnlich C. Westermann, in:
THAT 1 (1971), 804: "Dann liegt hier ein kan. Gebrauch des Wortes *kābōd*
vor, bei dem die Gewichtigkeit eines Gottes besonders in seiner Wirksamkeit
in der Natur gesehen wurde."
[18] F. Stolz, Strukturen (1970), 153-154.
[19] F. Stolz, Strukturen (1970), 154.
[20] Siehe Anm. 4.
[21] Siehe Anm. 1.

wird von dieser Seite her das kolometrische Argument bestätigt. Der Gottesname *'l hkbwd* dürfte nur in Abhängigkeit von einer *kbwd*-Theologie denkbar sein, wie sie z.B. im Rahmen der Schilderung des Sinaiereignisses zum Ausdruck kommt.[23] Weder aus ug. Texten noch aus Ps 29,3 a läßt sich eine "Canaanite *kābôd*-theology centered around the royal cult of El"[24] nachweisen. Der Gottesname *'l hkbwd* entfällt deshalb auch als Mittel für eine Frühdatierung von Ps 29.[25]

7.2. *kbwd* (V. 2) als Gottesname

D.N. Freedman und C.F. Hyland haben in ihrem Kommentar zu Ps 29 für *kbwd w ʿz* (V. 1) die Übersetzung "the Glorious and Victorious" als Gottesnamen vorgeschlagen.[26] Zugleich übersetzen sie auch *kbwd* in V. 2a als Gottesnamen: *kbwd šmw* "whose name is Glorious"[27]. Sie bezeichnen *kbwd w ʿz* "Glorious and Victorious" als einen Doppelnamen und begründen diese Übersetzung mit einem Hinweis auf die häufigen Doppelnamen von Göttern im Ug.[28] Vor D.N. Freedman und C.F. Hyland hatte bereits M. Dahood *kbwd* in V. 9 als Gottesnamen deklariert. Er begründet dies folgendermaßen: "Abstract *qōdeš* is a divine title like *kābōd*, 'glory, the Glorious One'."[29]

[22] J.C. de Moor, Uw God is mijn God (1983), 61 mit Anm. 202, wertet Ps 29,3 als Zeugnis dafür, daß die Israeliten in Ägypten den Sieg über das Meer nicht Baal, sondern El zugeschrieben hätten.

[23] Siehe z.B. B. Janowski, Sühne als Heilsgeschehen (1982), 303-308, zu Ex 24,15b-18a+25,1; siehe auch C. Dohmen, Bib 64 (1983), 507-508.

[24] B. Margulis, Bib 51 (1970), 348.

[25] B. Margulis, Bib 51 (1970), 348, leitet aus der *kbwd*-Theologie als Datum post quem die zweite Hälfte des 10. Jh.s v. Chr. ab.

[26] D.N. Freedman – C.F. Hyland, HTR 66 (1973), 238.242,247; D.N. Freedman, PPP (1980), 82.111.

[27] D.N. Freedman – C.F. Hyland, HTR 66 (1973), 238.242-243.

[28] D.N. Freedman – C.F. Hyland, HTR 66 (1973), 242 Anm. 7.

[29] M. Dahood, Psalms I (1965), 176.179; siehe auch L. Viganò, Nomi e titoli

Desgleichen hat auch B. Margulis *kbwd* als Gottesnamen gedeutet. Er bietet in V. 2 für *hbw l JHWH kbwd šmw* die Übersetzung "Bestow upon Yahweh 'Honour'-is-His-Name", in V. 3 für *'l h kbwd hr'jm* "The God of 'the Honour(-cloud)' has thundered" und in V. 9-10 für seine Lesung *kbwd JHWH l m<š>l jšb* "The 'Honour(-cloud)' of Yahweh is enthroned"[30]. Er begründet diese Übersetzungen durch eine direkte Verbindung der Stellen aus Ps 29 mit ug. Formulierungen. Seine Beweisführung lautet: "The phrase *kebôd šemô* can only mean '*kābôd* is His name' — in contrast to *kābôd lišmô* 'Honour/Glory to His name' and is probably a hypocoristicon for Yahweh — *šemô-kābôd*, morphologically equivalent to Canaanite '*ttrt-šm-b'l* 'Astarte-whose-name-is-Baal', i.e. *Ba'alat* and its variant '*ttrt-pn-b'l* 'Astarte-in-the-image-of-Baal'."[31] Er gelangt so zum Ergebnis, daß *kbwd* Jahwe als den "concrete and epiphanous Yahwe (as warrior)" bezeichne.[32] Ferner findet er in KTU 1.108:2 einen Beweis für eine " 'Canaanite *kābôd*-theology' "[33], die direkt mit der israelitischen in Beziehung stehe.[34]

7.3. Ergebnis

Die Vorschläge von M. Dahood, D.N. Freedman, B. Margulis, T.N.D. Mettinger u. a., zwischen *kbwd* in Ps 29 und einer kanaanäischen *kbwd*-Theologie einen direkten Zusammenhang herzustellen, ermangeln alle der nötigen Überzeugungskraft. Denn es ist weder möglich, in den ug. Texten *kbd* als Gottesbezeichnung oder religiösen Begriff nachzuweisen, noch ist es zulässig, zwischen *kbwd* in Ps 29 und ug. Doppelnamen[35], den Götternamen '*ttrt šm*

---

di YHWH alla luce del semitico del Nord-ovest (1976), 44 Anm. 50.

[30] B. Margulis, Bib 51 (1970), 334-335.

[31] B. Margulis, Bib 51 (1970), 336.

[32] B. Margulis, Bib 51 (1970), 336-337.

[33] B. Margulis, Bib 51 (1970), 343.

[34] B. Margulis, Bib 51 (1970), 343: "... standing in a direct line of historical development with the subsequent Israelite manifestation."

[35] Siehe Kap. 12.

b'l und *'ttrt pn b'l*[36] und *Yqr* in KTU 1.108:2[37] eine Beziehung herzustellen.

Die *kbwd*-Theologie von Ps 29 läßt sich nur im Rahmen der nachexilischen jüdischen Theologie über das Königtum Jahwes verstehen und deuten.[38]

[36] Siehe Kap. 12.

[37] Siehe Kap. 12.

[38] Siehe Kap. 10; R.T. Tournay, CiTo 106 (1979), 749-750.

KAPITEL 8

DIE GEOGRAPHIE VON PS 29,3-9aaβ

Die Interpreten von Ps 29 behandeln im allgemeinen die geographischen Aspekte des Abschnittes V. 3-9aaβ mit großer Sorgfalt. Obwohl die Mehrheit von ihnen der Meinung sein dürfte, daß in Ps 29 ein Gewitter geschildert werde, das seinen Weg vom Mittelmeer her zum Libanon und in die angrenzenden Gebiete nehme, werden auch ganz gegenteilige Meinungen vertreten.

In der vorugaritistischen Periode der Deutung von Ps 29 sah man in der Beschreibung des Gewitters nur allgemeine Hinweise auf ein Gewitter, so daß die Nennung des Libanons und der Wüste von Qadeš, die man weit im Süden suchte, kein besonderes Problem aufwarf.[1] H. Herkenne suchte das Nebeneinander der Örtlichkeiten Libanon und Qadeš z.b. folgendermaßen zu erklären: "Die Wüste von Kades läßt sich örtlich nicht genau fixieren; sie lag jedenfalls für den Palästinenser südwärts und ist am wahrscheinlichsten in der nordöstlichen Sinaihalbinsel zu suchen. Aber zieht nun in Palästina ein Gewitter von Norden nach Süden? Es fragt sich, ob der Dichter hier die Bahn eines einzelnen bestimmten Gewitterzuges schildert; er konnte diese auch nicht von seinem Standort aus verfolgen. So sind die Schauplätze Nord (V. 6) und Süd (V. 8) nur literarisch aneinandergereiht, um die Parallele Gebirge und Ebene zu gewinnen und an beiden die Wirkungen des Gewitters zu veranschaulichen."[2]

Gegenüber diesen Überlegungen nimmt sich die Lösung überaus einfach aus, in der ohne nähere Erklärung nur festgestellt wird, daß das Gewitter in die Wüste Juda ziehe und von dort im äußersten Süden bis in die Wüste von Qadeš gelange.[3] Diese Deutung erinnert beinahe an die Auslegung von H. Ewald, der ein dreistufiges Gewitter, das vom Himmel ausgeht, von dort auf die Berge

---

[1] Siehe z.B. C.A. Briggs, Psalms I (1906), 252-254; H. Gunkel, Psalmen (1929[4]), 123-124.

[2] H. Herkenne, Psalmen (1936), 125.

[3] L. Jacquet, Psaumes I (1975), 646; siehe ferner R.J. Tournay, CiTo 106 (1979), 754 Anm. 40; G. Ravasi, Salmi I (1981), 539-540; J. Schildenberger, Erbe und Auftrag 57 (1981), 10.

und dann auf die Ebenen ausgreife, in V. 3-9 beschrieben sah.[4]
Der Endpunkt des Gewitters im südlichen Qadeš Barnea wurde
von einer Reihe von Autoren als Hinweis auf die Sinai-Tradition
gedeutet.[5] E. Podechard hat dies z.b. mit folgendem Argument zu
rechtfertigen gesucht. Er schreibt: "Le désert de Cadès est indiqué
comme l'extrême sud, de même que le Liban l'a été comme l'extrême nord; mais c'était en soi un lieu sacré, le nom le dit, bien
avant le séjour qu'y firent les Hébreux: la voix de Iahvé fait tout
trembler, même ce qu'il y a de plus révéré."[6]
Für eine eindeutige Süd-Lösung in rebus *mdbr qdš* tritt auch B.
Margulis ein.[7] Er meint, daß die Auswirkungen der mächtigen
Gottheit vom Sinai kein Problem darstellten. Er argumentiert folgendermaßen: "That reverberations of His deity's activities are felt
in the Lebanon and Anti-Lebanon region is small wonder and is,
moreover, fully consonant with the tradition of cosmic upheaval
and disintegration associated with His epiphany (e.g. Jgs 5,4-3;
Hb 3,3-5; Na 1,3-5; Pss 18,50,77,97 etc.)."[8] Er gesteht jedoch ein,
daß gegen diese These der Einwand gelte, daß die Formulierung
mdbr qdš sonst im AT nicht mit dieser Bedeutung belegt ist.[9]
Die Angaben Libanon-Qadeš wurden auch als Beschreibung der
idealen Grenzen Israels ausgelegt[10] oder als Veranschaulichung der
Macht der Stimme Gottes.[11]
Auf Grund der ug. Texte, in denen gleichfalls der Terminus
mdbr qdš belegt ist[12], wurde vorgeschlagen, *mdbr qdš* als Bezeichnung eines an den Libanon anschließenden Gebietes zu sehen. H.L.

---

[4] H. Ewald, Psalmen (1840[2]), 23.

[5] A. Weiser, Psalmen I (1973[8]), 175 Anm. 3.

[6] E. Podechard, Psaumes I (1949), 137.

[7] B. Margulis, Bib 51 (1970), 335.342.

[8] B. Margulis, Bib 51 (1970), 346-347.

[9] B. Margulis, Bib 51 (1970), 346 Anm. 2.

[10] J. Coppens, ETL 53 (1977), 321; ders., Royauté (1979), 114.

[11] H. Groß, in: H. Groß – H. Reinelt, Psalmen I (1978), bemerkt hierzu:
"Während jedoch mit dem Libanon der wirkliche Bergrücken gemeint ist, auf
dem das Gewitter sich austobt, wird die Wüste Kadesch wohl nur durch eine
Ideenassoziation mit dem Unwetter in Verbindung gebracht. Die Macht der
'Stimme Jahwes' kennt keine Grenzen."

[12] KTU 1.23:4.65.68.

Ginsberg hat dieses Argument zuerst vorgetragen und folgendermaßen formuliert: "It is used to be taken for granted that it was the wilderness about Kadesh-Barnea, but that is nowhere else designated otherwise than as Paran or Zin. Thanks to the Ugaritic epic text C, 1. 65, we now know for certain that *mdbr qdš* is situated in Syria. Exactly where in Syria, we cannot say: perhaps, as has been suggested, somewhere near Kadesh on the Orontes."[13]

Eine Reihe von Autoren sind dieser Interpretation H.L. Ginsbergs gefolgt.[14] Einige Interpreten fordern vom ug. *mdbr qdš* her allgemein für Ps 29,8 ein *mdbr qdš* "die heilige (= dem Gott vorbehaltene?) Wüste"[15]. J. Gray, der z.B. *mdbr qdš* mit "the awful desert" übersetzt, bemerkt hierzu: "*mdbr qdš* is found in the Ugaritic text UT 52 = CTA 23,65 as a place apart from man's habitation and beyond his control, and so a fitting place of ritual seclusion."[16]

Es wurde auch darauf hingewiesen, daß *mdbr qdš* wohl erst durch die Vokalisierung zur heilgeschichtliche Reminiszenzen weckenden "Steppe von Qadeš" geworden sei.[17] Andere sehen in *mdbr qdš* zwar die kanaanäische Tradition durchscheinen, aber der Israelit habe es auf Qadeš Barnea bezogen. A. Deißler schreibt deshalb: "Sollte die Nennung der 'Wüste von Kadesch' auch auf das ugaritische *mdbr qdš* zurückgehen und dort eine Gegend im Norden Palästinas meinen ..., so ist hier sicher — der Durchschnittsisraelite konnte es gar nicht anders verstehen — die Wüste um Kadesch-Barnea gemeint, von der Dt 1,19 berichtet."[18]

---

[13] H.L. Ginsberg, ACIO 19 (1935.1938), 473; ders., An Ancient Name of the Syrian Desert, BJPES 6/2 (1938/39), 39. III; ders., ErIs 9 (1969), 45 Anm. 2: "... the desert of Kadesh (V. 8) — must (1) lie east of Sirion and (2) be of the same order of magnitude as the three preceding [= Mediterranean Sea — Libanon range — anti-Libanon range]; which is to say that it can only be the Syrian desert."

[14] G.R. Driver, CML (1956), 125 Anm. 3; M. Dahood, Psalms I (1965), 178; F.M. Cross, CMHE (1973), 154 Anm. 37, "Syrian desert"; A.A. Anderson, Psalms I (1972), 237; H.-J. Kraus, Psalmen I (1978⁵), 382.

[15] W.H. Schmidt, Königtum (1966²), 56; P.C. Craigie, Psalms 1-50 (1983), 242. 248, "the holy desert".

[16] J. Gray, BDRG (1979), 41 Anm. 9.

[17] C. Macholz, in: FS Westermann (1980), 327.

Ein besonderes Gewicht besitzt die geographische Argumentation in der Interpretation, in der der Weg des Gewitters mit dem
Alexanders des Großen durch Palästina identifiziert wird.[19]
Eine vollständige Abkehr von einem geographischen Verständnis
der lokalen Angaben in Ps 29 hat S. Mowinckel gefordert. Er
schreibt: "Das Meer, über das sich Jahwä verherrlicht hat, ist das
Urmeer ... So abgeblaßt wie die Ausdrücke hier [= Ps 93] auch
sind, so leuchtet es doch noch hindurch, daß ein Kampf bestanden
hat. Auf diesen Kampf deutet auch Ps 29,3f.10 hin. Der Psalm er-
wähnt eine Reihe von Fällen, in denen Jahwä sich durch seine
wunderwirkende Stimme verherrlicht hat. – An erster Stelle steht
der Urmeerkampf, wobei die Stimme, das 'Wort', Jahwä's Waffe
war; mit ihm hat er das Urmeer gebändigt und die Welt geschaffen
... Und in der letzten Strophe deutet der Dichter darauf hin, daß
Jahwä seinen Thron – wohl im Himmel – über das gebändigte
Meer aufgerichtet hat, er thront jetzt über der Flut – *mabbūl* hier
nicht Sintflut, sondern Urmeerflut, *tehōm*."[20]
       S. Mowinckel kann von diesem mythologisch bestimmten Ge-
sichtspunkt her dann feststellen, daß die übliche Auffassung, nach
der der Psalm die Offenbarung Jahwes im Gewitter feiere, falsch
sei. Gewitter und Erdbeben seien nur einzelne Momente der Schilderung.[21]
       Einen ähnlichen Weg der Deutung des Gewitters hat K. Seybold
beschritten.[22] Nicht das Gewitter als Naturphänomen sei es, was
der Dichter des Urpsalms besinge, wenngleich das Phänomen des
Gewitters als religiöses Urerlebnis zum Stoff des Mythos geworden
sei. Kein einmaliges, gar mit poetischen Namen zu belegendes Un-

---

[18] A. Deißler, in: FS Junker (1961), 54; ähnlich H. Cazelles, Une relecture
du Psaume XXIX? (1961), 123-124; J.L. Cunchillos, Salmo 29 (1976), 100-
102.
[19] Siehe A. Robert, DBS 5 (1957), 416; A. Deißler, in: FS Junker (1961),
52.57-58; R.J. Tournay, CiTo 106 (1979), 750.
[20] S. Mowinckel, Psalmenstudien II (1922), 47-48; M. May, Some Cosmic
Connotations of *Mayim rabbîm,* "Many Waters", JBL 74 (1955), 16: "Vs. 3
is reminiscent of the conflict with the insurgent waters, and in Vs. 10 the
Lord sits enthroned above the flood."
[21] S. Mowinckel, Psalmenstudien II (1922), 47 Anm. 5.
[22] K. Seybold, TZ 36 (1980), 211.

gewitter sei hier beschrieben, sondern gleichsam das allererste, das Gewitter an sich, sozusagen, die "Idee" des Gewitters, das Urgewitter in allen Gewittererscheinungen. Daraus folgert er ferner: "So ist im Weltlauf das Wetter fortan geregelt, man muß dieses Gesetz des Wetters zur Kenntnis nehmen, hinnehmen und feiern. Alle Tätigkeit der Menschen hat sich an ihm zu orientieren als eben der Lebenskoordinate, die diese Wetter-Wachstum-Religion gewährt."[23]

Wenn wir dem Verlauf des Gewitters folgen, das von den *mjm rbjm*, dem "Mittelmeer"[24] her gegen den Libanon zieht, dann liegt es unausweichlich nahe, in *mdbr qdš* eine Gegend in der unmittelbaren Nähe des Libanons zu sehen. Unabhängig vom *mdbr qdš* der ug. Texte wird man deshalb allein von V. 3-8 her schließen, daß mit *mdbr qdš* in V. 8b nur die Gegend um Qadeš am Orontes gemeint sein dürfte. Mit *mdbr* "Trift, Steppe" wird diese Gegend zutreffend beschrieben.[25] Wenn wir annehmen, daß V. 3-9aaβ ein Gewitter im nördlichen Libanongebiet beschrieben wird — sozusagen von Ugarit aus gesehen —, dann bereitet die Stoßrichtung des Sturmes auch geographisch kein Problem: Mittelmeer — nördlicher Libanon — Qadeš. Das in der Glosse V. 6 erwähnte Gebiet *lbnwn//šrjwn* "Libanon//Sirjon/Hermon"[26] ist ohnehin aus der Betrachtung auszublenden.

Wenn die Bestimmung von *mdbr qdš* im Rahmen von V. 3-9aaβ erfolgt, dann wird es fraglich, ob das Argument mit ug. *mdbr qdš* (KTU 1.23:65), das H.L. Ginsberg vorgetragen hat, noch von Gewicht ist.[27] Da die Bestimmung von *mdbr (qdš)* in KTU 1.23:4. 65.68 unsicher bleibt[28], tragen diese Belege zu einer Bedeutungs-

---

[23] K. Seybold, TZ 36 (1980), 211.

[24] Siehe zu *mjm rbjm* Kap. 2 zu 29.3.1. + 29.3.3.

[25] H.L. Ginsberg, ACIO 19 (1935.1938), 473, hat bereits darauf verwiesen, daß *mdbr* nicht unbedingt eine Wüste bezeichnet: "It should be remembered that *midbar* does not mean 'desert' but only 'land without permanent settlements'." Siehe zu he. *mdbr* "Trift, Steppe, Wüste" (HAL, S. 518-519) und akk. *madbaru, mud(a)baru* "Steppe, Wüste" (AHw, S. 572).

[26] Siehe zum Parallelismus *lbnwn/šrjwn* ug. *lbnn//šryn* u.a. M. Dahood, in: RSP 1 (1972), 248. Nr. 328; M.C. Astour, in: RSP 2 (1975), 298. Nr. 57; 333-334, Nr. 105.

[27] Siehe zu Anm. 11-15.

bestimmung von *mdbr qdš* in Ps 29,8 unmittelbar nichts bei. Im
Falle von Ps 29,8 erscheint ein Vergleich von *mdbr qdš* mit ug.
mdbr (qdš) nur auf Grund der Hypothese als unmittelbar möglich
und sinnvoll, daß Ps 29 ein adaptierter ug.-kanaanäischer Hymnus
sei. Selbst wenn es sich erweisen sollte, daß auch in KTU 1.23:
4.65.68 mit *mdbr (qdš)* die Gegend um Qadeš am Orontes bezeichnet wird, wäre keine direkte Verbindung zwischen KTU 1,23 und
Ps 29,3-9aaβ zu bewerkstelligen.

   Da im Grundtext von Ps 29, der nur 29.1.2.-29.2.2. + 29.9.3.
umfaßt, und auch im Abschnitt 29.10.1.-29.11.2. das ganze
Geschehen auf den himmlischen Palast Jahwes konzentriert bleibt,
und im eingeschobenen Baal-Jahwe-Stück 29.3.1.-29.9.2. das
Gewitter auf den nördlichen Bereich des Libanons beschränkt
wird, fehlt jede Basis für eine Südtheorie – Qadeš Barnea – oder
die Verbindung von Ps 29 mit einem Kriegszug Alexanders des
Großen.

---

[28] Siehe u.a. zur Diskussion C.M. Foley, Gracious Gods (1980), 28.98 mit
Anm. 324; 121.123.126.140.238; P. Xella, MLE 1 (1982), 13, *mdbr qdš*
"il deserto santo".

KAPITEL 9

mbwl "SINTFLUT" IN PS 29,10

Die Verwendung des Wortes *mbwl* hat in der Literatur zu Ps 29 zu voneinander abweichenden Interpretationen geführt. Eine Reihe von Gelehrten lehnen den Vorschlag, *mbwl* mit "Himmelsozean" zu übersetzen, ab. A. Deißler wendet z.b. ein: "*mabbūl* kommt sonst (Gen 6-11) nur als Bezeichnung der Sintflut vor. Es ist darum reine Willkür, hier an die Himmelswasser zu denken. Die Sintflut als Gericht paßt auch ausgezeichnet in die Linie unseres Psalms. Danach hat Jahwe seine Königsmacht geoffenbart, und zwar im Gericht und in der Gnade."[1]

B. Margulis geht noch einen Schritt weiter. Denn er liest anstelle von *JHWH l mbwl jšb* einen abgeänderten Text und folgendes Kolon: *kbwd JHWH l m<š>l jšb* "The 'Honour(-cloud)' of Yahweh is enthroned"[2]. Er ändert damit die von H.L. Ginsberg (ACIO 19 [1935.1938], 474; ders., Or 5 [1936], 180 Anm. 5) vorgeschlagene Lesung *l mlk* für *l mbwl* ab.

In Abhängigkeit von der Hypthese der literarischen Einheit von Ps 29 wird ein Zusammenhang zwischen den in V. 3 erwähnten Wassermassen des Mittelmeeres *(mjm rbjm*[3]*)* und den mit *mbwl* bezeichneten Wassern gesehen. Das Thronen Jahwes über der Sintflut (V. 10) wird als eine Art explizierender Weiterführung von V. 3b verstanden.[4] S. Mittmann kommt z.B. zu folgendem Schluß: "Die dort [= V. 3b] noch relativ vag gehaltene Feststellung, Jahwe sei mit Kraft und Glanz über den gewaltigen Wassern, besagt, vor dem Hintergrund des Huldigungsaktes entfaltet: Jahwe thront auf dem *mbwl* ... Der *mbwl*, der die erschaffene Welt latent bedrohende Himmelsozean, ist also Thronsitz Jahwes und

---

[1] A. Deißler, in: FS Junker (1961), 55; siehe ferner E. Podechard, Psautier I (1949), 135.137-138; H. Cazelles, Une relecture du psaume XXIX? (1961), 125-126.128; C. Houtman, De Hemel in Het Oude Testament (1974), 183, sieht nur Gen 1,7 als Beweis für ein Himmelswasser an; L. Jacquet, Psaumes I (1975), 632, "De Yahvé le déluge est le thrône!".

[2] B. Margulis, Bib 51 (1970), 334-335.344.345.

[3] Siehe Kap. 3, zu 29.3.1.-29.3.3.

[4] S. Mittmann, VT 28 (1978), 189.

als solcher Insignium der absoluten Macht, mit der Jahwe den Kosmos beherrscht. Der gewaltigste aller kosmischen Bereiche, die Urflut, ist damit zu einem willenlosen, der Verfügung Jahwes gänzlich unterworfenen Ding degradiert; und in dieser Verdinglichung liegt die eigentliche, die totale Entmächtigung des Chaoselementes."[5]

Die Eingrenzung von *mbwl* auf die Sintflut hat auch zur Vorstellung geführt, daß Jahwe bei der großen noachischen Flut schon in größter Ruhe gethront habe.[6] Im Gegensatz hierzu deutet M. Dahood V. 10a als ein Thronen Jahwes nicht seit der noachischen Flut, sondern seit dem Kampf zwischen Baal und Jammu "Meer". Sein Argument lautet: "The psalmist alludes not to the Flood in the days of Noah, but to the motif of the struggle between Baal, lord of the air and genius of the rain, and Yamm, master of sea and subterranean waters ... By his victory over the primeval forces of chaos, Yahweh is mythopoeically conceived as acquiring full dominion over earth and sea."[7] Von einer Gleichsetzung von V. 10 mit den Baaltraditionen her gelangt W.H. Schmidt zu einem ähnlichen Ergebnis. Er schreibt zusammenfassend: "V. 10 ist das Ziel, auf das der gesamte Psalm zusteuert. Hier wird Jahwe, wie im Ugaritischen Baal, ein Königtum zugesprochen, das bei einem bestimmten Ereignis einsetzt und von dann ab immer fortdauert. Demnach entspricht V. 10 wie V. 3-9 dem Baal Mythos. Noch einmal macht Ps 29 explizit deutlich, daß Jahwes Königtum eine Wurzel auch in Baals Götterherrschaft hat."[8]

Eine besondere Deutung von *mbwl* hat F.M. Cross vorgetragen.

---

[5] S. Mittmann, VT 28 (1978), 192; siehe auch R.J. Tournay, CiTo 106 (1979), 741.744.

[6] H. Herkenne, Psalmen (1936), 126, "gethront bei der Flut".

[7] M. Dahood, Psalms I (1965), 180; ähnlich W.H. Schmidt, Königtum (1966[2]), 54, der schreibt: "V. 10a mag auf den Meereskampf – nicht auf die Schöpfung! – anspielen; auf diesem Sieg gründet sich die nun unbeschränkte Dauer der Königsherrschaft (v. 10b), wie es den Vorstellungen von Baal entspricht"; D.N. Freedman – C.F. Hyland, HTR 66 (1973), 254 mit Anm. 29; W. Schlißke, Gottessöhne (1973), 52; J. Gray, BDRG (1979), 41-42 mit Anm. 12; P.C. Craigie, Psalms 1-50 (1983), 248-249, betont die Umwandlung des kanaanäischen Stoffes.

[8] W.H. Schmidt, Königtum (1966[2]), 57.

Denn er übersetzt *mbwl* mit "Flooddragon" und deutet V. 10a folgendermaßen: "Yahweh sits enthroned on the Flooddragon."[9]
S. Mowinckel sieht in *mbwl* eine Bezeichnung der Urmeerflut.
Er schreibt: "Und in der letzten Strophe deutet der Dichter darauf hin, daß Jahwä seinen Thron — wohl im Himmel — über das
gebändigte Meer ausgerichtet hat, er thront jetzt über der Flut —
mabbūl hier nicht Sintflut, sondern Urmeerflut, *tehōm.*"[10]
Dagegen nehmen eine Reihe von Autoren an, daß mit *mbwl* der
himmlische Ozean bezeichnet werde.[11] Diese Autoren übernehmen
die von J.Begrich entwickelte Hypothese, daß *mbwl* den Himmelsozean bezeichne.[12] Dies seien die Wasser, die "über dem Firma-
ment sind" (Gen 1,7), "die Wasser, die über dem Himmel sind" (Ps
148,4), von wo der Regen durch die "Fenster *('rbwt)* des Himmels" (Gen 7,11), durch die "Ritzen" *(bdqjm)* des Himmels (Ps
135,7) auf die Erde herabströme. Auf dieser Himmelsflut steht der
himmlische Palast Gottes (Ps 104,3; Am 9,6).

Bei einer Deutung von *mbwl* in V. 10 sind mehrere Faktoren zu
beachten. Am Rande dürfte darauf hinzuweisen sein, daß das Bild
von dem über dem unterirdischen Süßwassermeer thronenden Šamaš aus Sippar keine ikonographische Beleuchtung der Aussage
von Ps 29 darstellt.[13]

Die Konzentrierung und Beschränkung der Belegstellen für
mbwl auf die Sintflutgeschichte (Gen 6,17; 7,6.7.10.17; 9,11.15.
28; 10,1.32; 11,10) und der ausschließliche Gebrauch des Wortes
zur Bezeichnung der Sintflut, nicht aber des Himmelsozeans[14],

---

[9] F.M. Cross, CMHE (1973), 155.

[10] S. Mowinckel, Psalmenstudien II (1922), 48.

[11] Siehe z.B. B. Duhm, Psalmen (1899), 87; H. Gunkel, Psalmen (1929[4]),
124; A. Schwarzenbach, Die geographische Terminologie (1954), 60 Anm. 5;
E. Vogt, Bib 41 (1960), 22 mit Anm. 1; F.C. Fensham, POTW (1963), 92;
E. Lipiński, La Royauté de Yahwé (1968), 460 Anm. 1; M. Metzger, UF 2
(1970), 140-142; J.C. Cunchillos, Salmo 29 (1976), 121.

[12] J. Begrich, Mabbūl. Eine exegetisch-lexikalische Studie, ZS 6 (1928), 135-
153; siehe zum Himmelsozean in Ee IV 127 — V 66 W.G. Lambert, in: RlA 4
(1972/75), 411-412.

[13] Siehe hierzu Kap. 11.1.

[14] Siehe z.B. zur Widerlegung der Hypothese J. Begrichs über *mbwl* "Himmelsozean" S.E. Loewenstamm, Die Wasser der biblischen Sintflut: ihr Her-

zeigt unmittelbar, daß *mbwl* in Ps 29,10 als Sonderfall zu betrachten ist. Im Anschluß an die Sintfluterzählungen hat ein Kommentator in V. 10 vor oder nach dem Anschluß des Fragmentes V. 10-11 *l ks'w* in ein *l mbwl* umgestaltet.[15] Dem über der Sintflut thronend gedachten Jahwe wird wohl im Hinblick auf Gen 9,11. 15.28; 10,1.32; 11,10 die Funktion des größtmöglichen Schutzes für sein Volk Israel (V. 11) zugewiesen. Daß keine *mbwl* "Sintflut" mehr kommen werde, überträgt der Kommentator in V. 10-11 auf das Verhältnis zwischen dem König Jahwe und seinem Volk.

einbrechen und ihr Verschwinden, VT 34(1984), 180-182; vgl. Stenmans, *mbwl*, in: TWAT IV, Lieferung 5(1983), 637.
[15] Siehe Kap. 2 zu 29.10.1.-29.10.2.

KAPITEL 10

DAS KÖNIGTUM GOTTES NACH PS 29

Ps 29 wird in der Interpretation von S. Mowinckel zum weiteren Kreis der Psalmen zum Thronbesteigungsfest Jahwes gerechnet. S. Mowinckel stellt Ps 29 mit Ex 15,1b-18 und Ps 114 zusammen und schreibt hierzu folgendes: "Even Ps. 29 is derived from the same sphere of ideas, with its description of Yahweh's great work when fighting against the primeval ocean, and of his enthronement when he seated himself on his throne over the defeated ocean, and from then on sits enthroned for ever (v. 10), and imparts to his people blessing and power and victory (v. 11). For the fight against the ocean as the base of kingship, cf. Ps 93."[1] Dieser Deutung von Ps 29 hat sich grundsätzlich J. Gray angeschlossen[2], der das Lied zusammen mit Ps 68; 89,2f.6-19 zu den "undoubtedly early Enthronement Psalms" rechnet.[3] Diese Interpretation des Psalms gipfelt bei ihm in der Feststellung: "But, granted the established place of the extant psalm in the cult of Yahweh, Canaanite features are so strong as to suggest that we may treat it as one of the earliest adaptations of a hymn to Baal from the liturgy of the Canaanite autumn festival in the corresponding Israelite 'festival of Yahweh' (Judg. 21.19; Hos. 9.5)."[4]

Mit dem Sieg über das Chaos und dem Neujahrsfest verbindet auch T.H. Gaster Ps 29.[5] In diesem Lied sei ein Lobeshymnus auf den siegreichen König erhalten, der von seinem mythischen Kontext abgetrennt und als jahwisierte, unabhängige liturgische Komposition überliefert sei. Er schreibt hierzu: "Thus it would appear that Psalm 29 is a form of the ritual laudation of the victorious god which formed part of the seasonal pantomime of the New Year Festival. It must be emphasized, however, that this in no way implies that the seasonal pantomime actually obtained in official

---

[1] S. Mowinckel, PIW II (1967), 247; siehe auch ders., Psalmenstudien II (1922), 3-4.
[2] J. Gray, BDRG (1979), 16.21.26-27.37.
[3] J. Gray, BDRG (1979), 37; siehe ferner S. 251.261.
[4] J. Gray, BDRG (1979), 42.
[5] T.H. Gaster, Myth (1969), 747-751; ders., Thespis (1975[2]), 443-446.

Israelitic cultus, as has been so frequently supposed. All that we are here suggesting is that certain hymnodic patterns, derived from these earlier usages, survived in literary convention. This is, of course, a very different thing, and the difference is salient. At the same time, we would not deny that the survival often involved more than a mere persistence of forms. Evidence is increasing daily that many of the psalms were conscious and deliberate Yahwizations of current 'pagan' compositions; and we believe that this was the case in the present instance."[6]

Wenn wir in Ps 29 zwischen dem Grundstock des Textes, der mit 29.1.2.-29.2.1. + 29.9..3. gegeben ist, dem Einschub 29.3.1.-29.9.2. und dem Schlußteil 29.10.1.-29.11.2. unterscheiden, ergibt sich, daß der Mittelteil für eine Einbeziehung in die Diskussion über das Königtum Jahwes primär jedenfalls nicht in Betracht kommt.

Im Grundtext 29.1.2.-29.2.2. + 29.9.3. spielt das Königtum Jahwes eine zentrale Rolle. Es wird aber nicht in Abhängigkeit zu einem Kampf zwischen Jahwe und dem Meer bzw. dem Chaos gebracht. Das Königtum Jahwes erscheint in diesem Teil des Liedes als eine unumstößliche Tatsache, die weder begründet, noch als neu erworben gilt. Es liegt deshalb nahe, daß hier kanaanäische und altorientalische Vorstellungen und Traditionen über den himmlischen Palast der Gottheit[7] auf Jahwe übertragen worden sind. Würde und Hoheit der Königsherrschaft werden hierbei mit dem Wort *kbwd* "Herrlichkeit" (V. 1.2.9) charakterisiert.[8] Es handelt sich hierbei um ein Wort, das zwar nicht aus dem Kanaanäischen[9], aber wohl dem Versuch der jüdischen Theologen zu verdanken ist, den aus dem sumerisch-babylonischen Bereich stammenden Gedanken des Glanzes der Gottheit[10] ins He. zu

---

[6] T.H. Gaster, Myth (1969), 751.

[7] Siehe Kap. 11.

[8] Siehe Kap. 7.

[9] Siehe Kap. 7.

[10] Siehe zum Glanz der Gottheit in der sumerisch-akkadischen Literatur u.a. AHw, S. 643: *melemmu* "Schreckensglanz(maske)"; CAD M/2, S. 9 :*melemmu* "C 1, radiance, supernatural awe-inspiring sheen (inherent in things divine and royal)"; siehe auch zu *nawāru(m)* "hell sein, werden; leuchten" und den

übersetzen. Von dieser Seite her gesehen ist der Abschnitt 29.1.2.-29.2.2. + 29.9.3. wohl erst seit der Zeit des assyrischen Einflusses und des babylonischen Exils möglich.

Während in 29.1.2.-29.2.2. + 29.9.3. der göttliche Hofstaat Jahwe als König seine Huldigung darbringt, liegt V. 10 ein Text zugrunde, der von Jahwes Niedersitzen auf seinem Thron und seiner zeitlich unbegrenzten Königsherrschaft spricht. Obwohl durch die Textmodernisierung[11] jetzt Jahwe als über der Sintflut thronend dargestellt wird, läßt der Text noch erkennen, daß ursprünglich Jahwe in Anlehnung an die Baal-Tradition als König gefeiert worden ist.

Der El-Jahwe-Text 29.1.2.-29.2.2. + 29.9.3. wurde auf diese Weise durch das Baal-Jahwe-Fragment 29.10.1.-29.11.2. ergänzt.

---

nominalen Ableitungen AHw, S. 768-770; E. Cassin, La Splendeur divine (1968).
[11] Siehe Kap. 2 zu 29.10.1.-29.10.2. sowie Kap. 9.

KAPITEL 11

ALTORIENTALISCHE PARALLELEN ZU PS 29
UND KANAANÄISCHE VORSTELLUNGEN ÜBER BAAL
IN ÄGYPTISCHEN DOKUMENTEN

Die Verbindung von Ps 29 mit altorientalischen Texten und Bilddokumenten besitzt eine lange Geschichte und ist älter als die Parallelisierung des Liedes mit den ug. Funden.

11.1. Ps 29 und die bildliche Darstellung des Sonnengottes über dem unterirdischen Süßwassermeer aus Sippar

Nachdem L.W. King das aus Sippar stammende Relief mit Šamaš thronend über dem *apsu* "unterirdischen Süßwassermeer, Grundwasser"[1] 1912 veröffentlicht hatte[2], wurde diese Darstellung bald auch der Psalmenforschung zugänglich gemacht.[3] H. Gunkel verweist in seinem Kommentar ausdrücklich auf dieses mesopotamische Dokument.[4] Auch M. Metzger stellt zwischen dem Relief und Ps 29,10 sowie Ps 104,2b.3 eine direkte Beziehung her.[5] Sowohl H. Gunkel als auch M. Metzger nehmen an, daß das Relief aus Sippar den Sonnengott thronend über dem Himmelsozean darstelle.

---

[1] AHw, S. 61; CAD A/2, S. 194: *apsu* "1. deep water, sea, cosmic subterranean water"; W.G. Lambert, The Cosmology of Sumer and Babylon (1975), 64.

[2] L.W. King, Babylonian Boundary-Stones and Memorial Tablets in the British Museum (1912), 120, Plate XCVIII-CII; S.A. Rashid, Zur Sonnentafel von Sippar, BJV 7 (1967), 297-309; W.G. Lambert, The Cosmology of Sumer and Babylon (1975), 64 zu Plate 16.

[3] H. Greßmann, Altorientalische Texte und Bilder zum Alten Testament II (1909), 57 Abb. 92; ders., Altorientalische Bilder zum Alten Testament (1927²), Nr. 322; siehe auch O. Keel, Die Welt der altorientalischen Bildsymbolik und das Alte Testament (1972), 153 Abb. 249; 92 Tf. CXXIX.

[4] H. Gunkel, Psalmen (1929⁴), 124.

[5] M. Metzger, Himmlische und irdische Wohnstatt Jahwes, UF 2 (1970), 141-142, Tf. I.

Während in der Reliefdarstellung aus Sippar der irdische und himmlische Tempel einander zugeordnet sind und die Gleichzeitigkeit des Geschehens aufgezeigt wird[6], verbleiben wir bei Ps 29, 1-2 allein im Bereich des himmlischen Heiligtums. Die Verbindung mit dem Jerusalemer Heiligtum oder vielmehr mit dem Volk der Gottheit wird dann erst in V. 11 hergestellt.

Diese Differenzen lassen sich am besten durch die Annahme erklären, daß in Ps 29,1-2.10 die Gestalt des über der Sintflut thronenden Gottes zusammen mit dem auf westsemitische Weise formulierten Gedanken von den Göttersöhnen verknüpft wurde, und dies alles auf die Tradition über El und seinen Hofstaat zurückzuführen ist. Entscheidend ist hierbei jedoch, daß die Göttersöhne nicht mehr als eine Gruppe von Göttlichen neben anderen im kanaanäischen Pantheon auftreten, sondern als die einzigen Wesen des Himmels, die um den höchsten Gott ihren Dienst verrichten. Wir befinden uns somit offensichtlich bereits im Spätstadium der Entwicklung, in dem die El-Söhne zu Engeln Jahwes geworden sind, siehe z.B. Ps 103,20-21.[7]

Zwischen der Darstellung des Sonnengottes über dem Süßwasserozean *(apsu)* und Ps 29,1-2.10 läßt sich somit keine unmittelbare Beziehung herstellen. Relief und Psalmentext stimmen nur insoweit überein, als beide auf ihre Weise eine im Himmel thronende Gottheit vor Augen führen.

11.2. Hymnen auf den Wettergott und Ps 29

In seiner Darstellung der Psalmenkritik zwischen 1900 und 1935 hat S. Mowinckel zu Recht darauf hingewiesen, daß die Deutung von Ps 29 von ug. Texten her durch H.L. Ginsberg nichts an der Tatsache ändere, daß sich uns das Problem des Einflusses aus der Umwelt Israels auch ohne Ugarit aufgedrängt haben würde, und zwar als Ergebnis der Entwicklung, die die Psalmenforschung

---

[6] M. Metzger, UF 2 (1970), 144, führt aus, daß auf dem Relief aus Sippar das Heiligtum als der Ort dargestellt werde, an dem der Unterschied zwischen Himmel und Erde, zwischen Diesseits und Jenseits aufgehoben werde.

[7] V. Maag, Hiob (1982), 53.

schon einige Jahrzehnte vor den Ugaritfunden erreicht hatte.[8]
H. Gunkel hat z.B. in seinem Kommentar bereits ausführlich
auf die außerbiblischen Hymnen auf den Wettergott hingewiesen.[9]
Er konnte sich dabei schon damals auf eine breite Sekundärlitera-
tur stützen.[10]

11.3. Außerbiblische Siegeshymnen und Ps 29

Die Interpretation von Ex 15,1b-18.21 mit Hilfe außerbiblischer Siegeshymnen durch W.F. Albright[11] hat P.C. Craigie dann
auf Ps 29 übertragen.[12] Er schreibt hierzu folgendes: "On the basis
of these parallels it is suggested that Ps 29, like the Song of the
Sea, must be interpreted initially as a *hymn of victory* ... The
poet, in Ps 29, has developed the general storm imagery of war
poetry and highlighted the 'voice' of God as an echo of the battle
cry ..."[13]

Von dieser Hypothese leitet er dann eine weitere ab. Es gelingt
ihm so, einen Zwiespalt zwischen der Stimme Jahwes und der
Baals zu postulieren. Sein Argument lautet: "Although the empha-
sis throughout vv 3-9 is on the thundering voice of the Lord, the
allusion throughout is to the weaker thunder of Baal. That is to
say, the general storm image of battle has been subtly transfor-
med into a tauntlike psalm; the praise of the Lord, by virtue of
being expressed in language and imagery associated with the Canaanite weather-god, Baal, taunts the weak deity of the defeated
foes, namely the Canaanites. Thus, the poet has deliberately utilized Canaanite-type language and imagery in order to emphasize

---

[8] S. Mowinckel, in: ZNP (1976), 327-328.
[9] H. Gunkel, Psalmen (1929[4]), 123; siehe ferner u.a. L. Jacquet, Psaumes I
(1975), 634.
[10] H. Gunkel, Psalmen (1929[4]), 123; siehe ferner A. Jirku, Altorientalischer
Kommentar zum Alten Testament (1923), 225; siehe ferner J. Jeremias,
Theophanie (1977[2]), 73-90. 174-175; E. Lipiński, DBS 9 (1979), 19-20.
[11] W.F. Albright, YGC (1968), 10-11.
[12] P.C. Craigie, Psalms 1-50 (1983), 245-246.
[13] P.C. Craigie, Psalms 1-50 (1983), 245-246.

the Lord's strength and victory, in contrast ot the weakness of
the inimical Baal."[14]

P.C. Craigie gelangt so zu folgender Sicht der historisch-litera-
rischen Einordnung von Ps 29: "In summary, it is argued that
Ps 29 reflects a particular stage in the development of the Hebrew
tradition of *victory hymns*. In the earlier stage, the hymns that
have survived (e.g. the Song of the Sea, the Song of Deborah) are
associated with particular victories. Ps 29 reflects a slightly later
period in development (though it is one of the earliest psalms in
the Psalter, to be dated provisionally in the eleventh/tenth centuries B.C.); it is a *general* victory hymn, though it was probably
devised for use in the specific celebration of victories over Canaanite enemies (as implied by the Canaanite allusions)."[15]

Die von P.C. Craigie vorgetragene Interpretation von Ps 29 von
den außerbiblischen Siegeshymnen her steht und fällt mit ihrer
Basis, der Frühdatierung und speziellen Interpretation der Lieder
Ex 15,1b-18.21. Da diese erst spät entstanden sind[16], besteht
keine Möglichkeit, Ps 29 in Abhängigkeit vom Meeres- und Mirjamlied her zu erklären.

11.4. *Enūma eliš* und Ps 29

T.H. Gaster baut seine Deutung von Ps 29 auf einem Vergleich
derselben mit dem babylonischen Gedicht *Enūma eliš* auf und verbindet auf diese Weise den biblischen Text mit dem babylonischen
Neujahrsfest.[17] Nach ihm erinnert bereits der Anfang des Psalms
(V. 1-2) mit der Aufforderung, Jahwe zu lobpreisen an *Enūma eliš*.
Er schreibt: "The situation is thus identical with that of the Babylonian New Year myth ... in which the minor gods are summoned
to pay homage to Marduk, after his victory over Tiamat, and to

---

[14] P.C. Craigie, Psalms 1-50 (1983), 246.

[15] P.C. Craigie, Psalms 1-50 (1983), 246.

[16] Siehe O. Loretz, Schilfmeer- und Mirjamlied (Ex 15,1b-18.21) (1984), im
Druck.

[17] T.H. Gaster, Myth (1969), 747-751.843-844; ders., Thespis (1975²), 443-
446.

recite his *names* and honorific titles. So, too, in the Canaanite *Poem of Baal*, that god, after conquering Yam (Sea), is said to go up to the sacred mountain of the North and there be feted and regaled by the gods (VI A B)."[18]

Den für das Verständnis von Ps 29 entscheidenden Abschnitt V. 3-9aαβ interpretiert T.H. Gaster als ursprünglichen Bestandteil des Liedes und des von ihm vorausgesetzten Rituals. Er muß jedoch eingestehen, daß sonst bei der Beschreibung der Taten der Gottheit der Sieg über den Gegner genauer dargestellt werde. Er schreibt: "The initial invocation is followed (vv. 3-9b) by a vivid description of Yahweh's prowess in storm and tempest, thus constituting the actual honorification which the gods are invited to recite. It takes place usually occupied, as we shall see, by a more precise reference to the god's defeat of the rebellious Sea or Dragon (cf. 65:8; 66:6; 74:13; 89:10-11; 93:3-4); but even in this more general form, it harks back to a standard element of the Primitive Ritual Pattern."[19]

Ein mit Ps 29,3-9 vergleichbarer Lobpreis Baals finde sich in KTU 1.4 VII 25b-52a.[20]

T.H. Gaster versucht auch, V. 9aβ.b vom "Ritual Pattern" her zu erklären.[21] Sein Argument lautet: "What is stated in these obscure words is precisely the same thing as is mentioned explicitly in *Enuma Elish* VI, 144: the entire company of the gods, duly assembled in the new-built palace of Esagila, sat in the fane, and 'all of them recited the 'name' of Marduk.' The words are a virtually exact equivalent of our Hebrew phrase, 'all of them' answering precisely to 'all of it' and thus showing that the missing subject is the divine assembly. Indeed, the immediately preceding verse in *Enuma Elish* (VI, 143) says explicitly: 'in their convocation they celebrated his essence.' Hence, it is apparent that we must restore something like:

[The assembly of the deities acclaims Him,]
And in His palace all of it recites the Glory."[22]

[18] T.H. Gaster, Thespis (1975[2]), 443-444.
[19] T.H. Gaster, Thespis (1975[2]), 444.
[20] T.H. Gaster, Thespis (1975[2]), 444.
[21] T.H. Gaster, Thespis (1975[2]), 445.

Die Aussage, daß Jahwe über dem Himmelsozean throne, deutet
T.H. Gaster vom "Ritual Pattern" her als einen Sieg über die Flut.
Er schreibt hierzu folgendes: " 'Yahwe,' continues the Psalmist
(V. 10), 'sat enthroned at the storm flood, and Yahweh will sit
enthroned forever.' The abruptness of this statement is likewise
perplexing, while scholars have also been exercised to determine
whether the reference to the storm flood is to the specifice Noa-
chic Deluge or to *any* inundation caused by the display of Yahweh's powers. Reference to comparative mythology will show,
however, that this enigmatic expression is likewise drawn from the
standard material of the Ritual Pattern. An essential element of
the seasonal myth is that the weather god reins the turbulent Dragon or Spirit of the subterranean waters who threatens to flood
the earth, and as a corollary to this he is often representing as hol-
ding down the floods by building his palace or erecting his throne
over them. Thus, in the Babylonian *Enuma Elish,* it is said explicitly (I, 71) that after Ea had vanquished Apsu, 'he established his
dwelling place over the nether waters'; and Marduk does the same
thing after the defeat of Tiamat (VI, 62-64) ... It is to this that
our verse alludes. The interpretation is clinched by the words 'and
Yahweh will sit enthroned as king forever'; for here we have a re-
production of the cry 'Marduk is king' uttered in exactly similar
circumstances in *Enuma Elish* IV 28, and likewise of the cry "Let
Baal be king' which bursts from the lips of the defeated Lord of
the Sea in the Canaanite version of the story (III AB, A 32)."[23]

T.H. Gaster lehnt sodann die Erklärung ab, V. 11, der Abschluß
von Ps 29, sei eine Zufügung anläßlich der Übernahme des Liedes
in den öffentlichen Kult. Seine Erklärung dagegen lautet: "It
should be observed, however, that an exactly comparable expression occurs in *Enuma Elish* VI 113, where the minor gods hail
their new king Marduk in the words, 'Verily, Marduk is the help
of his land and his people,' acclaiming him also (*ibid.,* 114) as 'the
salvation of the people.' This suggests that it was part of the original mythological hymn; in other words, vv. 10-11 are 'in quotes,'

[22] T.H. Gaster, Thespis (1975²), 445, bemerkt ferner zu "Glory" folgendes:
"The Glory, of course, is the foregoing laudation."
[23] T.H. Gaster, Thespis (1975²), 445-446.

being a continuation of the 'Glory' which the divine hosts are said (v. 9c) to recite in the palace. In itself, of course, the phrase was no doubt a liturgical formula, probably used at ceremonies of inthronization und therefore readily adopted into the order of service whenever a god was hymned in the role of new-crowned king. This would account for its substantial recurrence in 28:8; 68:36; etc. The point is, however, that its presence in our psalm is not due to such adoption at a later date; on the contrary, it was adopted already in the original poem where the insertion of it was dictated by the requirements of the Ritual Pattern.'"[24]

In der Literatur zu Ps 29 wird zumeist übersehen, daß T.H. Gaster dem Interpretationsmodell von H.L. Ginsberg ein anderes, ebenso in sich geschlossenes zur Seite gestellt hat, das ganz auf dem "Ritual Pattern" und dem babylonischen *Enūma eliš* aufgebaut ist. Diese Parallelisierung von Ps 29 mit *Enūma eliš* wird auf die Hypothese gegründet, daß Ps 29 nach einem einheitlichen Aufbauplan gestaltet sei. Da jedoch der Mittel- und Schlußteil erst nachträglich eingeschoben worden sind[25], fehlt auf seiten von Ps 29 die von T.H. Gaster vorausgesetzte Möglichkeit eines durchgehenden Vergleichs der recht unterschiedlichen El- und Baaltraditionen von Ps 29 mit *Enūma eliš*. Dennoch verdient die von T.H. Gaster vorgetragene Deutung von Ps 29 größte Beachtung, da in ihr die Eingangsszene des biblischen Textes mit der in *Enūma eliš* aufgenommenen Tradition der Verehrung eines Gottes durch andere Götter verbunden wird.

11.5. Kanaanäische Vorstellungen über Baal in ägyptischen Dokumenten

In der Literatur der 19. und 20. Dynastie wird der Herrscher Ägyptens häufig mit Baal verglichen.[26]

---

[24] T.H. Gaster, Thespis (1975[2]), 446.

[25] Siehe Kap. 4.1.

[26] E. Lipiński, La Royauté de Yahwé (1968[2]), 136-138; R. Stadelmann, Syrisch-palästinensische Gottheiten in Ägypten (1967), 32-47 (Baal in Ägypten); ders., Baal, LdÄ 1 (1975), 590-591.

Die Brücke zwischen dem syrisch-phönizischen Raum und
Ägypten schlägt hierbei Abimilki von Tyros, der in seinem Brief
an den Pharao diesen mit dem Wettergott vergleicht:

> *ša iddin rigmašu ina šamê kīma IM ù t[a]rgub*[27] *gabbi māti ištu
> rigmišu*

"Der seinen Donner im Himmel erschallen läßt wie Baal, so daß
erschreckt das ganze Land vor seinem Donner."

(VAB 2,147,13-15)

Der Pharao gleicht bei seinem Auszug in den Krieg Baal, der sich
im Gewitter manifestiert. Er erscheint auf dem Schlachtfeld wie
Baal und tritt mit einer der Macht Baals vergleichbaren Gewalt
gegen seine Feinde auf.[28] Sethos I. ist "wie Baal, wenn er über die
Berge hinschreitet, während sein Schrecken die Fremdländer zer-
bricht."[29] Der in finstern Wolken donnernd über die Berge zie-
hende Wettergott fordert zum Vergleich mit dem auf dem Streitwagen in die Schlacht stürmenden König heraus. Deshalb heißt
auch der Streitwagen und sein Gespann bei Ramses III. "Baal in
seiner Kraft."[30]

Diese Aussagen über Baal beleuchten indirekt die Gestalt des
Wettergottes, der auch im Mittelteil von Ps 29 die Szenerie beherrscht.

11.6. Zusammenfassung

Die Parallelisierungen von Ps 29 mit altorientalischen Texten
sind auf der Voraussetzung aufgebaut, daß das biblische Lied tex-
tologisch als eine Einheit anzusehen sei.[31] Da jedoch Ps 29 aus

---

[27] AHw, S. 941: *ragābu*, "erschrecken" intr.

[28] R. Stadelmann, Syrisch-palästinensische Gottheiten in Ägypten (1967),
39-41.

[29] R. Stadelmann, Syrisch-palästinensische Gottheiten in Ägypten (1967), 39.

[30] R. Stadelmann, Syrisch-palästinensische Gottheiten in Ägypten, (1967),
41.

[31] H. Zimmern, in: KAT (1903³), 453, mit Anm. 3, vergleicht z.B. von diesem Ausgangspunkt her "die ganz ähnliche Schilderung von Jahwe und den

drei Texten zusammengesetzt ist[32], fehlt diesen umfassenden Vergleichen die nötige Grundlage. Sowohl die an das Mittelmeer und das Libanongebiet gebundene Erscheinung Baal-Jahwes im Gewitter als auch das Bild von dem in Majestät inmitten seines Hofstaates thronenden El-Jahwe als auch der von der Gestalt Baal-Jahwes bestimmte Schlußteil lassen sich mit keinem Text aus dem Zweistromland voll zur Deckung bringen.

Dagegen tragen Bildmaterial und Texte aus dem Zweistromland zum Verständnis von Einzelheiten — himmlischer Hofstaat, Wettergott, Thronbesteigung — in Ps 29 doch erheblich bei.

---

bnj ʾlhjm in Ps 29" mit der Stelle aus dem Hymnus an Sin IV R 9: "Wenn Dein Wort im Himmel erschallt, werfen sich die Igigi auf das Antlitz nieder,// wenn Dein Wort auf Erden erschallt, küssen die Annunaki den Boden."
[32] Siehe Kap. 3-4.

KAPITEL 12

UGARITISCHE PARALLELEN ZU PS 29

Die Hypothese vom kanaanäischen Ursprung von Ps 29, des Näheren das Postulat, daß es sich beim biblischen Lied um die israelitische Variante eines kanaanäischen Liedes auf Baal bzw. El handle, oder daß in einem kanaanäischen Lied nur der Name Baals durch den Jahwes ersetzt worden sei[1], war von Anfang an wenig überzeugend. Denn es konnte bisher kein ug. Text namhaft gemacht werden, der tatsächlich als eine Vorlage oder wenigstens als ein Vorläufer von Ps 29 angesehen werden könnte. Auf diesen Sachverhalt wurde eindrücklich hingewiesen.[2]

Wenn wir von dem zusammengesetzten Charakter[3] und der späten Entstehungszeit von Ps 29 ausgehen[4], dann stellt die Unmöglichkeit, das biblische Lied direkt an einen ug. Text anzuschließen, kein unerwartetes oder besonderes Problem dar. Damit sind jedoch noch bei weitem nicht alle Fragen eines Zusammenhanges zwischen den ug. Texten und Ps 29 erledigt. Denn es stellt sich das Problem, ob jeweils für 29.1.2.-29.2.2. + 29.9.3.; 29.3.1.-29.9.2. und 29.10.1.-29.11.2. getrennt eine Anbindung an kanaanäische Traditionen möglich ist. Dieses Problem wurde im Zusammenhang mit der Interpretation der El- und Baal-Traditionen in Ps 29 schon mehrfach angeschnitten und behandelt.

Neben den El- und Baal-Traditionen sind noch andere mögliche Verbindungen von Ps 29 zu ug. Texten diskutiert worden, wie z.B. die Ortsangabe *mdbr qdš* (V. 8)[5], die Wörter *hdrt* (V. 2)[6], *bnj 'ljm*

---

[1] F.M. Cross, BASOR 117 (1950), 19 Anm. 2, meint, daß Ps 29 ein nur leicht modifizierter kanaanäischer Hymnus auf Jahwe sei und bemerkt hierzu: "The revisions would include the substitution of 'Yahweh' for 'Baal' (which occasionally disturbs the meter)"; A. Fitzgerald, A Note on Psalm 29, BASOR 215 (1974), 61-63; K. Seybold, TZ 35 (1980), 208; S. Rummel, in: RSP 3 (1981), 263: "This Canaanite hymn' is an ancient Baal hymn, probably borrowed in Solomonic times, and only slightly modified for use in the early cultus of Yahweh."

[2] P.C. Craigie, Psalms 1-50 (1983), 243-246.

[3] Siehe Kap. 4.2.

[4] Siehe Kap. 4.3.

[5] Siehe Kap. 8.

(V. 1)[7], *kbd* und *kbwd* (V. 3)[8], das Königtum der Gottheit[9], die Theophanie des Wettergottes[10] sowie die Siebenzahl der Blitze Baals.[11] Einige ug. Texte werden besonders mit Ps 29 in Beziehung gesetzt. Es handelt sich um KTU 1.101:1-4[12]; 1.4 VII 25b-52a[13] und 1.2 VI 7b-10.[14] Am Rande wurde auch KTU 1.108 in die Betrachtung mit einbezogen.[15]

12.1. Eine El-Tradition in Ps 29.1.2.-29.2.2. + 29.9.3.

Die in Ps 29,1-2 an die *bnj 'ljm* "El-Söhne" bzw. "Göttersöhne" gerichtete Aufforderung, Jahwe zu preisen, hat zur Frage geführt, wie und auf welche Weise dieser offensichtliche Hinweis auf eine El-Tradition mit dem Abschnitt 29.3.1.-29.9.2. in dem Baal-Jahwe im Vordergrund steht, in Übereinstimmung zu bringen sei.[16] Da jedoch in der Mehrzahl der Interpretationen, in denen ohne weitere Begründung Ps 29 auf einen Baal-Text zurückgeführt wird, dem Problem der El-Tradition in diesem Lied aus leicht verständlichen Gründen zu wenig Gewicht beigemessen wird, soll diesem Aspekt besondere Beachtung zuteil werden.

W.H. Schmidt, der sich der Hypothese angeschlossen hat, daß Ps 29 wahrscheinlich unmittelbar auf einen kanaanäischen Baal-Hymnus zurückgehe, in dem an die Stelle des kanaanäischen

---

[6] Siehe Kap. 5.

[7] Siehe Kap. 6.

[8] Siehe Kap. 7.

[9] Siehe Kap. 10.

[10] Siehe Kap. 14.

[11] J. Day, Echoes of Baal's Seven Thunders and Lightnings in Psalm XXIX and Habakuk III 9 and the Identity of the Seraphim in Isaiah VI, VT 29 (1979), 143-151.

[12] Siehe Kap. 12.2.

[13] Siehe Kap. 12.3.

[14] Siehe Kap. 12.4.

[15] Siehe z.B. A.S. Kapelrud, The Ugaritic Text 24.252 and King David, JNSL 3 (1974), 37; R.J. Tournay, CiTo 106 (1979), 748 Anm. 51.

[16] W.H. Schmidt, Königtum (1966²), 55-56; C. Macholz, in: FS Westermann (1980), 328-329.

Gottes Jahwe getreten sei, betont, daß der Gottkönig inmitten
seines himmlischen Thronrates das Charakteristikum von König
El sei. Auch die Ehrung durch die Götter, die hier vor Jahwe statt-
findet, werde in den Ugarit-Texten nie Baal, jedoch El zuteil. Damit entspreche die Einführung des Psalms mehr dem Bild, das die
ug. Mythen von El als dem, das sie von Baal entwerfen.[17] Daraus
schließt sodann W.H. Schmidt folgendes: "Möchte man nicht
annehmen, daß solche Züge Baal nur zufällig nicht zugemessen
werden, so ist in Ps 29 beispielhaft belegt, daß Jahwe das Königtum Els und Baals in sich vereinigte; denn der Hauptteil des Psalms
weist deutlich auf Baal hin."[18] Da beide Traditionen literarisch
nicht mehr auseinanderzuhalten seien, beide Vorstellungsreihen
aber kaum nach den ug. Mythen auf denselben Gott bezogen
werden könnten, ergebe sich die Frage, ob der Psalm nicht erst in
Israel entstanden sei, wo alle Aussagen von Jahwe gemacht werden.[19] Im Anschluß an R. Rendtorff[20] führt C. Macholz das Zu-
sammenstehen von zwei Vorstellungsreihen in Ps 29 auf die
Jerusalemer Herkunft des Liedes zurück.[21] Er schreibt: "Vielmehr
wird man für die Tradition von Jerusalem, und zwar schon des
'jebusitischen' Jerusalem, mit einer 'Verschmelzung von Zügen Els
und Ba'als bzw. Ba'alšamems' zu rechnen haben."[22]

Eine Reihe von Interpreten, die in Ps 29 einen ursprünglichen
Hymnus auf Baal sehen, schenken dem Aspekt, daß in V. 1-2 von
El inmitten seiner Söhne die Rede sein könnte, de facto keine Bedeutung. Sie übergehen entweder diesen Sachverhalt oder halten
ihn keiner Erklärung wert.[23]

Wenn wir von der Hypothese, daß Ps 29 eine ursprüngliche Einheit verkörpere, absehen, dann scheint das Nebeneinander der El-

---

[17] W.H. Schmidt, Königtum (1966²), 55-56.
[18] W.H. Schmidt, Königtum (1966²), 56.
[19] W.H. Schmidt, Königtum (1966²), 57-58.
[20] R. Rendtorff, El, Ba'al und Jahwe, ZAW 78 (1966), 186.
[21] C. Macholz, in: FS Westermann (1980), 328-329.
[22] C. Macholz, in: FS Westermann (1980), 329.
[23] Siehe z.B. M. Dahood, Psalms I (1965), 175-176; F.M. Cross, CMHE
(1973), 152; D.N. Freedman − C.F. Hyland, HTR 66 (1973), 240.242.246;
E.T. Mullen, Jr., The Assembly of the Gods (1980), 200; siehe auch P.C.
Craigie, Psalms 1-50 (1983), 246-247.

und Baaltradition auf den ersten Blick kein besonderes Problem darzustellen. Denn die postulierte El-Tradition wäre in diesem Lied erst nachträglich im Abschnitt 29.3.1.-29.9.2. durch einen Baal-Text ergänzt worden. Es bestünde deshalb keine Notwendigkeit oder Möglichkeit, einen längeren Amalgierungsprozeß zu postulieren oder gar eine jebusitische Tradition geltend zu machen. Neben der Formulierung *bnj 'ljm* "El-Söhne" (= Göttersöhne, Engel) weisen auch die sonstigen Charakterzüge der in 29.1.2.-29.2.2. + 29.9.3. beschriebenen Gottheit auf El hin. Denn El genießt hier nicht nur die Verehrung seines Hofes, sondern tritt zugleich als ein König auf, dessen Herrschaft im Grunde von keinem Gegner bestritten wird. Sein ewiges Königtum erscheint deshalb auch nicht als Ergebnis eines Sieges über das Chaos oder das Urmeer.

Da die Glosse *'l hkbwd* in 29.3.2. eine nachträgliche Ergänzung darstellt,[24] fehlt von dieser Seite her die Möglichkeit, auch den Mittelteil über Baal-Jahwe als El-Tradition zu erklären.[25]

12.2. Die sieben Blitze Baals (KTU 1.101:1-4)

Im Abschnitt 29.3.1.-29.9.2. kommt *qwl JHWH* "Jahwes Donner" siebenmal vor. Diese stilistische Besonderheit wurde oft vermerkt.[26] Während D.N. Freedman – C.F. Hyland darauf hingewiesen haben, daß die Zahl sieben in Verbindung mit dem Wettergott Baal mehrmals in Texten aus Ugarit belegt ist,[27] hat J. Day dieser Thematik in Ps 29 und in den ug. Texten seine besondere Aufmerksamkeit zugewandt.[28] Er geht von der Beobachtung aus, daß

---

[24] Siehe Kap. 3 zu V. 3.

[25] Vgl. F. Stolz, Strukturen (1970), 153-154; siehe auch J.C. de Moor, Uw God is mijn God (1983), 61 mit Anm. 202.

[26] H. Hupfeld, Psalmen I (1888³), 415 Anm. 48; F. Baethgen, Psalmen (1879²), 79; A. Bertholet, Psalmen (1923⁴), 151; Nic.H. Ridderbos, Psalmen (1972), 218 mit Anm. 3; J. Day, VT 29 (1979), 143.

[27] D.N. Freedman – C.F. Hyland, HTR 66 (1973), 241 mit Anm. 5.

[28] J. Day, Echoes of Baal's Seven Thunders and Lightnings in Psalm XXIX and Habakkuk III 9 and the Identity of the Seraphim in Isaiah VI, VT 29 (1979), 143-151.

bislang die Parallele zwischen Baals siebenfachem Donner in KTU 1.101:3-4 und dem siebenmaligen *qwl JHWH* in Ps 29 noch nicht bemerkt worden sei. Die Zahlenreihe 7//8 sei als Betonung der Zahl sieben zu verstehen, so daß vom siebenfachen Donner Baals gesprochen werde. Sein Schluß lautet deshalb: "It may therefore be maintained that RS 24.245 lines 36-4 allude to both Baal's sevenfold lightnings and thunders, just as Ps. XXIX depicts Yahweh's thundering seven times."[29]

Von dieser Basis her schreitet J. Day zu einer weiteren Schlußfolgerung fort. Diese führt zu einer Angleichung von Ps 29 an ug. Texte und hat folgenden Wortlaut: "Furthermore, it is interesting at this point to note that the parallel may be drawn even closer by looking at the context in both passages. Ps XXIX is clearly related to the well-known enthronement psalms and, indeed, V. 10 actually states, 'The Lord sits enthroned over the flood, the Lord sits enthroned as king for ever.' Similarly, in RS 24.245 lines 1-3a, immediately prior to the reference to Baal's seven lightnings and thunders, we read of Baal's enthronement like the flood: *bʿl. yṯb.kṯbt.ǵr.hd.r(ʿy) kmdb.btk.ǵrh.il ṣpn.b(tk) ǵr.tliyt,* 'Baal sits enthroned, having the mountains as throne, Hadad (the shepherd) like the flood in the midst of his mountain, the god of Zaphon in the (midst of) the mountain of victory".[30]

Aus der Parallelisierung von Ps 29 mit KTU 1.101:1-4 leitet J. Day dann zusammenfassend ab: "There can surely be no doubt, in the light of these parallels, that the sevenfold thunder of Yahweh in Ps. XXIX is yet a further instance of this psalm's appropriation of motifs deriving ultimately from Baal mythology which should be added to the list of those noted by earlier scholars and referred to at the beginning of this article."[31]

Beim Vergleich der Kola aus der Beschreibung Baals

[29] J. Day, VT 29 (1979), 144.

[30] J. Day, VT 29 (1979), 144-145. Zum Vergleich von KTU 1.101:1-4 mit Ps 29 siehe ferner K. Seybold, TZ 36 (1980), 210 Anm. 3; P.C. Craigie, Psalms 1-50 (1983), 248.

[31] J. Day, VT 29 (1979), 145.

šb't brqm x[ ]	8+x	Sieben Blitze[ ][32]
ṯmnt iṣr r't	10	acht Speicher des Donners,
'ṣ brq y[ ]	6+x	ein Holz des Blitzes[ ][33]

(KTU 1.101:3-4)

mit 29.3.1.-29.9.2. haben wir zu berücksichtigen, daß formal betrachtet zwischen den Formulierungen des ug. Textes und der Wortprägung *qwl JHWH* des Psalms keine Parallelität besteht. Da ferner *qwl JHWH* in Ps 29,7 einen sekundären Zusatz darstellt[34], so daß infolgedessen in Ps 29 nur sechsmal von einem Donner Baal-Jahwes die Rede ist, fehlt für den von J. Day angestellten Vergleich die Basis.

Da in Ps 29 zwischen den Rahmentexten 29.1.2.-29.2.2. + 29.9.3., 29.10.1.-29.11.2. und dem Abschnitt V. 3-9b zu unterscheiden ist, besteht keine Möglichkeit, mit J. Day zwischen KTU 1.101:1-4 und Ps 29.1-11 eine durchgehende Parallelisierung vorzunehmen. Ein Vergleich von 29.1.2.-29.2.2. + 29.9.3.-29.11.2. mit KTU 1.100:1-3a gibt unmittelbar zu erkennen, daß zwei völlig verschiedene Szenerien gegeben sind.

Aus einem Vergleich zwischen KTU 1.101:3-4 und Ps 29 ergeben sich demnach keine Anhaltspunkte, die eine direkte Zurückführung des letzten Textes auf ug. Vorbilder erlaubten.

12.3. KTU 1.4 VII 25b-41 und Ps 29.3.1.-29.9.2.

T.H. Gaster hat besonders auf die Parallelität zwischen Ps 29 und KTU 1.4 VII 25b-41 hingewiesen.[35] Er geht bei seinem Vergleich von der Einheit von Ps 29 aus, so daß sich für ihn die Möglichkeit ergibt, 29.3.1.-29.9.2. als direkte Fortführung von V. 1-2

---

[32] J. Day, VT 29 (1979), 144, ergänzt *lḥ*.

[33] M.H. Pope – J.H. Tigay, A Description of Baal, UF 3 (1971), 118, schlagen als Ergänzung *y*[*ḥd?*] vor; J. Day, VT 29 (1979), 144, liest *brqy*[*h*]. Dieser Vorschlag dürfte wegen des Trenners vor *y*[kaum zutreffend sein.

[34] Siehe Kap. 3 zu 29.7.1.

[35] T.H. Gaster, JQR 37 (1946/47); ders., Myth (1969), 749; ders., Thespis (1975²), 444; siehe ferner J. Day, VT 29 (1979), 143 Anm. 1; J. Gray, BDRG (1979), 18 mit Anm. 40.

zu deuten. Er schreibt: "There follows (vv. 3-9b) a vivid description of Yahweh's prowess in storm and tempest. This, as suggested
above, must be regarded as the actual honorification which the les-
ser gods are invited to recite; it is not merely a series of laudatory
observations by the poet. Yahweh's thunder (lit. 'voice') is said to
convulse forest and ocean; it comes with strength and awe-inspiring vehemence. Particularly, it is stated that by means of it Yahweh shatters the cedars of Lebanon. Now, the language of this
laudation runs parallel, to a remarkable degree, with that of the
paean recited to Baal in the Canaanite poems."[36]

Daß dieses Loblied des Schmiedegottes Koschar auf Baal, den
Herrn des Gewittersturmes, auf Hymnen zu Ehren Baals zurückgehe, werde auch durch eine Stelle aus den Amarna-Briefen (VAB
2,147,13-15)[37] erwiesen.[38]

Wenn wir von der Annahme absehen, daß in 29.3.1.-29.9.2.
eine unmittelbare Fortsetzung von V. 1-2 vorliege, dann bleibt
für einen Vergleich mit KTU 1.4 VII 25b-41 allein dieser mittle-
re Abschnitt des Liedes übrig. In diesem wird ausführlich die
furchterregende Manifestation der Macht Baals im Gewitter geschildert. Der *qwl* "Stimme" Baal-Jahwes kommt hierbei eine
Hauptrolle zu.

Der Abschnitt über Baals Erscheinung im Gewitter folgt auf die
bis dahin verweigerte Erlaubnis Baals an den Schmiedegott Koschar (wa Ḫasīs), ein Fenster für den Regen in den himmlischen Palast Baals zu bauen. Der Text lautet:

w yʻn aliyn bʻl	Und es antwortete Aliyn Baal:
aštm ktr bn ym	Ich setze fest, Ktr, Sohn des Meeres,
ktr bnm ʻdt	Ktr, Sohn der Wasserversammlung:
ypth hln b bhtm	Er möge ein Fenster im Hause,
urbt b qrb hklm	Eine Öffung inmitten des Palastes öffnen
w [y]pth bdqt ʻrpt	und er möge einen Durchbruch in den Wolken öffnen
ʻl hwt ktr w hss	gemäß des Wortes von Ktr w Ḫss!

---

[36] T.H. Gaster, Myth (1969), 749.
[37] Siehe S. 104, VAB 2,147,13-15.
[38] T.H. Gaster, Myth (1969), 749.

ṣḥq ktr w ḥss	Es lachte Ktr w Ḥss,
yšu gh w yṣḥ	er erhob seine Stimme und rief:

l rgmt lk l aliyn bʻl	Habe ich es nicht zu dir gesagt, als Aliyn Baal:
ttbn bʻl l ḥwty	"Du, Baal, wirst auf mein Wort zurückkommen!"

ypth ḥln b bhtm	Er öffnete ein Fenster im Haus,
urbt b qrb hklm	eine Öffnung inmitten des Palastes,

ypth bʻl bdqt ʻrpt	Baal öffnete einen Durchbruch in den Wolken,
qlh qdš bʻl ytn	seine Stimme läßt Baal ertönen.

ytny bʻl ṣ[ḥt š]pth	Es wiederholt Baal das Ru[fen?] seiner [Lip]pen,
qlh q[dš z]r arṣ	seine heilige Stim[me auf? der?] Erde

[ ]ġrm t(?)ḥ [šn]	[ ] die Berge erzitterten
rtq qdm ym	es erbebten [ ] am Meer,
bmt ar[ṣ] tttn	die Höhen der Erde erbebten.

ib bʻl tiḥd yʻrm	Die Feinde Baals ergreifen die Wälder,
šnu hd gpt ġr	die Hasser Haddus die Berghänge!

w yʻn aliyn bʻl	Und es antwortete Aliyn Baal:

ib hdt lm tḫš	Feinde Baals, warum zittert ihr,
lm tḫš ntq dmrn	warum zittert ihr vor der Damarun-Waffe!

ʻn bʻl qdm ydh	Seht Baal, wie er seine Hand vorschnellt,
k tġd arz b ymnh	wie er [vorstößt?] die Zeder in seiner Rechten?

KTU 1.4 VII 14-41)[39]

Aus KTU 1.4 VII 25b-37a ergibt sich besonders deutlich, daß Baal mit seiner Donnerstimme die Natur und seine Gegner zu erschüttern vermag. Dieser Text illustriert somit aufs beste 29.3.1.-29.9.2.

Aus einem Vergleich von KTU 1.4 VII 25b-41 mit Ps 29 geht gleichzeitig hervor, daß zwischen diesen Texten doch ein erheblicher Unterschied in der Abfolge der Szenen und der Inhalte besteht. Während sich im ug. Text Baals Anspruch auf alleinige Herrschaft von seinem himmlischen Palast aus als notwendige Folge

---

[39] Siehe u.a. G. Del Olmo Lete, MLC (1981), 208-209.

seines Sieges ergibt, thront El-Jahwe in 29.1.2.-29.2.2. + 29.9.3.
umgeben von seinem Hofstaat. Das Königtum Jahwes wird in
diesen Bikola ohne Begründung als eine feststehende Tatsache
vorgeführt. Der Abschnitt über die Erscheinung Baal-Jahwes
im Gewitter 29.3.1.-29.9.2. illustriert sodann auf sekundäre Weise
das Königtum El-Jahwes und gilt als dessen Manifestation.
Aus einem Vergleich von 29.3.1.-29.9.2. mit KTU 1.4 VII
25b-41 ergibt sich somit die Frage, ob der Abschnitt über Jahwes
Stimme (V. 3-9b) nicht einem Kontext entnommen ist, der ähnlich der Beschreibung in KTU 1.4 VII 25b-41 von der machtvollen Erscheinung Baal-Jahwes im Gewitter und nachfolgend von
seinem Königtum im himmlischen Palast berichtete. Von diesem
Hintergrund her wäre dann umso verständlicher, daß dieses Fragment zwischen 29.1.2.-29.2.2. + 29.9.3. zur besseren Hervorhebung der königlichen Macht Jahwes eingefügt wurde.
  Die Parallelisierung von KTU 1.4 VII 25b-35a mit 29.3.1.-
29.9.2. zeigt jedenfalls, daß das biblische *qwl JHWH* "(Donner)-
stimme Jahwes" mit dem *qlh qdš*[40] "seine heilige Stimme" (KTU
1.4 VII 28.31) in Beziehung gesetzt werden kann, wenn wir gleichzeitig alle historischen und sachlichen Differenzen zwischen KTU
1.4 und Ps 29 beachten.
  Aus dieser Ähnlichkeit und sicher auch Verwandtschaft der Formulierungen dürfte jedoch kaum abzuleiten sein, daß wir in *qwl
JHWH* nur den Gottesnamen auszuwechseln haben, um unmittelbar zur kanaanäischen Vorlage von Ps 29 vorzustoßen.[41]

12.4. Die Inthronisation Baals — Jahwes Thronsitz über der Sintflut

S. Mowinckel zählt Ps 29 mit der Begründung zu den Thronbesteigungspsalmen, daß in diesem Lied nicht von einem Gewitter,

[40] Siehe zu *qdš* in attributiver Position P. Xella, MLE 1 (1982), 13.
[41] Vgl. F.M. Cross, CMHE (1979), 152 Anm. 23, bemerkt z.B.: "The revisions would include the substitution of 'Yahweh' for 'Ba'l' (which occasionally disturbs the meter slightly, and particularly the closing verse (v. 11).";
H. Fitzgerald, A Note on Psalm 29, BASOR 215 (1974), 61-63.

sondern von Jahwes Kampf und Sieg über das Urmeer *(mbwl)* die Rede sei.[42] Er bemerkt hierzu: "Even Ps. 29 is derived from the same sphere of ideas, with its description of Yahweh's great work when fighting against the primeval ocean, and of his enthronement when he seated himself on his throne over the defeated ocean, and from then on sits enthroned for ever (v. 10), and imparts to his people blessing and power and victory (v. 11)."[43]

Dieser Deutung suchte man auch durch Hinweise auf ug. Texte Nachdruck zu geben. H.L. Ginsberg hat in seinem Beitrag vom Jahre 1935 bereits Ps 29,10 von der "Formula of Baal's Triumph"

wʿn ktr whss	Und es antwortete Ktr w Hss:
l rgmt lk zbl bʿl	Habe ich es dir nicht gesagt, o Fürst Baal!
tnt l rkb ʿrpt	habe ich es dir nicht wiederholt, o Wolkenfahrer!
ht ibk bʿlm	Siehe, deinen Feind, o Baal,
ht ibk tmhs	siehe, deinen Feind sollst du schlagen,
ht tsmt srtk	siehe, deinen Gegner sollst du vernichten!
tqh mlk ʿlmk	Du sollst dein ewiges Königtum in Besitz nehmen,
drkt dt drdrk	deine Herrschaft für alle Zeiten!

(KTU 1.2 IV 7b-10)

und von dem Bericht über die Thronbesteigung Baals

bʿl ytb l ks[i mlkh]	Baal setzt sich auf den Thron [seines Königtums,]
bn dgn l kh[t drkth]	der Dagan-Sohn auf den Stuhl [seiner Herrschaft!]

(KTU 1.10 III 13-14)

her erklärt,[44] und zwar mit vollem Recht.

J. Gray hat die von S. Mowinckel vorgeschlagene Interpretation von Ps 29 als Lied zu der im Herbst gefeierten Thronbesteigung Jahwes besonders mit Verweisen auf ug. Texte zu stützen versucht.[45] Er wagt eine unmittelbare Verbindung von Ps 29 mit dem kanaanäischen Herbstfest mit folgenden Worten: "But, granted the

---

[42] S. Mowinckel, Psalmenstudien II (1922), 47-48.

[43] S. Mowinckel, PIW II (1967), 247.

[44] H.L. Ginsberg, ACIO 19 (1935.1938), 474-475; siehe ferner T.H. Gaster, Thespis (1975²), 46.

[45] J. Gray, BRDG (1979), 18.21.37.39-42.201.222.261.

established place of the extant psalm in the cult of Yahweh, Canaanite features are so strong as to suggest that we may treat it as one of the earliest adaptations of a hymn to Baal from the liturgy of the Canaanite autumn festival in the corresponding Israelite 'festival of Yahweh' (Judg. 21.19; Hos. 9.5)."[46]

Das sekundäre Nebeneinander der El- und Baaltraditionen in Ps 29 läßt es nicht zu, aus Ps 29 eine kontinuierliche Liturgie zu erheben und diese direkt mit ug. Texten über Baals Sieg und seine Übernahme des Königtums zu vergleichen. Die von S. Mowinckel, H.L. Ginsberg, T.H. Gaster, J. Gray u.a.[47] vorgenommenen Parallelisierungen bauen alle auf der Hypothese von der ursprünglichen Einheit von Ps 29 auf.

12.5. Parallele Wortpaare in ug. Texten und in Ps 29

Im Rahmen des Vergleiches von Ps 29 mit ug. Texten wenden die Autoren dem Problem der gemeinsamen parallelen Wortpaare besondere Aufmerksamkeit zu. M. Dahood gelangte z.B. zum Ergebnis, daß in Ps 29 neun ug.-biblische Wortpaare festzustellen seien, so daß die These von der Unabhängigkeit von Ps 29 von kanaanäischen Vorläufern dadurch widerlegt werde.[48] Dagegen anerkennt P.C. Craigie nur die Wortpaare *ql//ql, km//km, lbnn// šryn, yṯb//yṯb* und *l//l*. Da von diesen auch fünf in der akkadischen, drei in der arabischen und eines auch in der ägyptischen Poesie belegt seien, ergebe sich somit folgendes: "Stated differently, there is no single, unambiguous parallel word pair common to Ugaritic poetry and Psam 29 ... which is not also attested in the

---

[46] J. Gray, BDRG (1979), 42.

[47] Siehe ferner J.C. de Moor, New Year with Canaanites and Israelites I (1972), 26.

[48] M. Dahood, in: RSP 2 (1975), 4: "Thus *rumm/aylt* and *ytn ... brk* bring to nine the number of word pairs common to Ugaritic and Ps 29; in a psalm of eleven verses nine is an impressive number of parallel pairs and serves to confute two recent studies asserting the independence of Ps 29 of Canaanite antecedents." Siehe zur Parallelisierung von ug. Texten mit Ps 29 durch M. Dahood, in: RSP 1 (1972); RSP 2 (1975) und RSP 3 (1981), die Angaben in den jeweiligen Indizes.

poetry of other languages. It is concluded, therefore, that insofar
as an argument rests upon the evidence of common parallel word
pairs, the evidence contained in Ps 29 does not compel one to
postulate a Canaanite or Ugaritic background to the psalm."[49]

Ps 29 enthält folgende Parallelpaare:

hbw // hbhw // hbw	V. 1-2
l // l // l	V. 1-2
JHWH // JHWH (// JHWH)	V. 1-2.3.4.8. 9ab
ḥwy // 'mr	V. 2 + 9
qdš // hjkl	V. 2 + 9
qwl // qwl	V. 4
mjm // mjm (rbjm)	V. 3
'rzjm // 'rzj lbnn	V. 5
km // km	V. 6
lbnn // šrjwn	V. 6
'gl // bn r'mjm	V. 6
ḥjl // ḥjl	V. 8
mdbr // mdbr qdš	V. 8
ḥjl // ḥšp	V. 9
'jlwt // j'rwt	V. 9
jšb // jšb	V. 10
l // l	V. 10
'mw // 'mw	V. 11
'z // šlwm	V. 11
ntn // brk	V. 11

Wenn wir von diesen parallelen Wortpaaren die aus dem Zitat
V. 6 absondern *(km // km, lbnn // šrjwn, 'gl // bn r'mjm)* und ferner zwischen dem Grundtext V. 1-2. 9c-11 und dem Einschub
V. 3-9b unterscheiden, dann bleiben folgende zwei Gruppen von
parallelen Wortpaaren aus Ps 29 übrig:

I

V. 1-2. 9c-11

hbw // hbw // hbw	V. 1-2
l // l // l	V. 1-2
JHWH // JHWH (//JHWH)	V. 1-2

[49] P.C. Craigie, Parallel Word Pairs in Ugaritic Poetry: A Critical evaluation
of their Relevance for Psalm 29, UF 11 (1979), 139.

ḥwj // 'mr	V. 2 + 9c
qdš // hjkl	V. 2 + 9c
jšb // jšb	V. 10
l // l	V. 10
'm // 'm	V. 11
'z // šlwm	V. 11
ntn // brk	V. 11

II

V. 3 - 9b

JHWH // JHWH	V. 3.4.8.<9>ab
mjm // mjm rbjm	V. 3
qwl // qwl	V. 4
'rzjm // 'rzj lbnn	V. 5
šbr // šbr	V. 5
ḥjl // ḥjl	V. 8
mdbr // mdbr qdš	V. 8
ḥjl // ḥšp	V. 9
'jlwt // j'rwt	V. 9

Bei der vorgeschlagenen Gliederung von Ps 29 in zwei Teile kommen von parallelen Wortpaaren, die P.C. Craigie zu Recht anerkennt[50], zwei *(jšb // jšb, l // l)* auf I und zwei *(qwl // qwl, šbr // šbr)* auf II. Bei diesem Sachverhalt besteht keine Möglichkeit, für Ps 29 insgesamt oder für die einzelnen Textteile eine besondere Nähe zu ug. Texten zu postulieren.

A. Fitzgerald hat vom Gesichtspunkt der Alliteration her Ps 29 untersucht. Er gelangte zum Ergebnis, daß man durch Einsetzung von *b'l* anstelle von *JHWH* zu einem Text gelange, der durch seine Alliterationen direkt an ug. Texte erinnere. Er sucht auf diese Weise nachzuweisen, daß Ps 29 von einem Kanaanäer verfaßt worden sei. Er schreibt: "The intent of this note is to lend some support to the view of Gaster that the whole of Ps 29 in substantially its present form was written by a Canaanite, that the original divine name in the psalm was 'Baal', and that the Israelite adaptation of the psalm involved simply the substitution of 'Yahweh' for 'Baal'."[51]

---

[50] P.C. Craigie, UF 11 (1979), 139.

Gegen diese Argumentation hat P.C. Craigie geltend gemacht, daß der Name *b'l* drei Konsonanten enthalte, die in den ug. und he. Präpositionen *b*, *l* und *'l* wiederkehren. Es ergebe sich so von selbst eine Höchstmenge an Alliterationen, wenn man *b'l* in einen ug. oder he. Text einsetze. Die von A. Fitzgerald vorgetragene Beweisführung könne deshalb nicht als überzeugend angesehen werden.[52]

Auch in der von A. Fitzgerald vorgetragenen Deutung von Ps 29 wird dem Aufbau des Textes aus zwei ursprünglich verschiedenen Elementen keine Beachtung geschenkt. Außerdem beruht das von A. Fitzgerald erzielte Ergebnis nicht auf einer systematischen Erfassung des ug. Materials, sondern auf eher zufälligen Vergleichen.

12.6. Ps 29 – ein Zeugnis für eine nachexilische Wiederbelebung der kanaanäischen Tradition?

T.K. Cheyne zählte bereits 1891 sowohl Ps 19,1-7 als auch Ps 29 zu den Zeugnissen für eine Wiederbelebung älterer Mythologie. Er schreibt hierzu: "Both [= Ps 19,1-7; 29] belong to that literary revival of Hebrew mythology during and after the Exile of which the Books of Job and to some extent Jonah are monuments. With fearless step those kings of sacred song – the psalmists – venture into the recesses of popular imaginative symbolism, and reclaim them from superstition to the service of the Most High. The swift-running hero Shemesh, the caste or guild of the Elohim, the crashing voice of the Thunder-god, fine myths debased by unholy associations, were by them transfigured into poetic symbols of 'the throne and equipage of God's almightiness'. Once, indeed, this might have been dangerous; but now that the true Jehovah ... reigned in Israelitish hearts, His worshippers might innocently delight themselves in the fancies of their forefathers."[53]

---

[51] A. Fitzgerald, A Note on Psalm 29, BASOR 215 (1974), 61.

[52] P.C. Craigie, UF 11 (1979), 140.

[53] T.K. Cheyne, The Origin and Religious Contents of the Psalter (1891), 202; ders., Psalms I (1904), 121.

Während T.K. Cheyne die Wiederbelebung der mythischen Tradition entsprechend den Erkenntnismöglichkeiten seiner Zeit noch als innerisraelitischen Vorgang betrachtete, geht R. Tournay in seiner Argumentation für eine Spätdatierung von Ps 29 vom streng jahwistischen Charakter des Liedes und seiner mythologischen Färbung aus und erklärt letztere folgendermaßen: "C'est surtout à partir de l'exil qu'apparaissent dans les écrits bibliques les éléments caractéristiques d'origine syro-phénicienne. Après la disparition du Temple, si contaminé par les cultes païens (Ez., VIII), le danger de syncrétisme diminue; d'autre part, la piété personelle s'approfondit et le goût de l'érudition grandit chez les scribes et hagiographes; Ezéchiel est peut-être le premier grand erudit, en contact direct avec le monde babylonien. Lui et ses successeurs peuvent aussi connaître maintes traditions littéraires syro-phéniciennes par le truchement des Israélites du Nord, dispersés déjà depuis deux siècles. Ceux-ci ont emporté avec eux une culture profondément influencée par le voisinage de la Syro-Phénicie. C'est seulement après l'exil que les cercles judéens d'érudits, dispersés à leur tour, peuvent se mêler à la diaspora nord-israélite. Ainsi j'expliquerait facilement l'apport massif, à partir de cette époque, d'éléments étrangers dans la littérature poétique, qui devient archaïsante, conformément à une tendance générale à toutes les littératures de cette époque (cf. infra)."[54]

Wenn wir wenigstens für den endgültigen Text von Ps 29 eine nachexilische Entstehung annehmen und den einzelnen Teilen eine gesonderte Entwicklung zugestehen, dann verliert der Gegensatz frühe vorexilische oder nachexilische Datierung auf Grund einer postulierten Renaissance kanaanäischer Mythologie seine Schärfe. Es genügt die Annahme, daß sowohl die El- als auch die Baaltradition in diesem Lied vielfältige Verbindungen mit der altorientalischen und kanaanäischen Umwelt fordern und nahelegen. Die Vertreter der Renaissance-Hypothese betonen zu Recht, daß auch in der nachexilischen Zeit die auf das kanaanäische Erbe zurückgehenden Traditionen im Judentum gepflegt wurden. Aus Ps 29 allein sind keine Argumente zu gewinnen, die erlaubten, von einer plötzlichen nachexilischen Renaissance der kanaanäischen Mythologie im nachexilischen Judentum zu sprechen.

[54] R. Tournay, RB 62 (1956), 176; ders., CiTo 106 (1979), 743. 748-752.

12.7. Zusammenfassung

Ps 29 wurde von K. Seybold als ein Glücksfall in der alttestamentlichen Wissenschaft bezeichnet. Denn durch die Ausgrabung der Textfunde aus dem alten Ugarit-Ras Shamra sei mit an Sicherheit grenzender Wahrscheinlichkeit die These aus den 30er Jahren als richtig erwiesen, daß Ps 29 ursprünglich ein aus dem kanaanäischen Raum stammender Text sei, der durch leichte Überarbeitung zu einem israelitisch-jahwistischen Hymnus gemacht worden sei. Er stellt deshalb zusammenfassend fest: "Fast jedes Wort, jedes Motiv, jeder Gedanke – von dem Symbol der Sieben Donner bis zu der Weltbildvorstellung: der göttliche Thron über dem Drachen der Urflut – ist als altkanaanäisch nachgewiesen, mit der einen Ausnahme, eben des Gottesnamens JHWH, dem Tetragramm, der wohl ein ursprüngliches Baal oder Hadad verdrängt hat. Die kanaanäische Herkunft des Psalms liegt jedenfalls klar zutage."[55]

Dagegen dürfte jenen Kritikern zuzustimmen sein, die auf den Tatbestand verweisen, daß bisher keine kanaanäische Vorlage von Ps 29 aufgefunden wurde. Vom zusammengesetzten Charakter des Liedes her dürfte es gleichfalls ausgeschlossen sein, für die Endgestalt des Textes eine kanaanäische Herkunft als klar zutage liegend nachzuweisen.

In Übereinstimmung mit der Unmöglichkeit, Ps 29 insgesamt auf eine kanaanäische Vorlage zurückzuführen, läßt sich die andere Beobachtung bringen, daß auch keine der poetischen Einheiten – Bikola – des Liedes mit einem einzelnen ug. Text zur Deckung gebracht werden kann.

Die Hypothese über die kanaanäische Herkunft von Ps 29 erweist sich somit nicht als ein Ergebnis unvoreingenommener Parallelisierung des biblischen Textes mit ug. Dokumenten, sondern als eine historisch-philologische Konstruktion, die letztlich auf dem Vorurteil von der Einheit des biblischen Liedes gründet.

---

[55] K. Seybold, TZ 36 (1980), 208.

KAPITEL 13

PS 29 UND PS 96

Die unterschiedliche Verwendung eines Textes in Ps 29,1-2 und 96,7-9a wirft nicht nur die Frage nach einem möglichen Abhängigkeitsverhältnis zwischen Ps 29 und 96 auf, sondern auch die nach den Grundsätzen und Zielen der israelitisch-jüdischen Interpretation von Texten. Eine Auslegung von Ps 29 sollte deshalb nicht ohne Berücksichtigung von Ps 96 erfolgen.

13.1. Das Problem der Einheit des Textes von Ps 96

H. Gunkel hat Ps 96 der Gattung der Hymnen zugeteilt.[1] Er gliederte das Lied in einen ersten Teil, bestehend aus der erweiterten hymnischen Einführung V. 1-3 und einem dazugehörigen Hauptstück V. 4-6, das mit einem zweimaligen "denn" beginne. Mit der neuen Einführung V. 7-9 setze ein zweiter Teil ein, der in V. 10-13 Motive der Lieder auf Jahwes Thronbesteigung benütze. Für das letzte Stück V. 10-13 sei nach den anderen Thronbesteigungs-Gedichten das eschatologische Verständnis mit Sicherheit anzunehmen. Wenn der ganze Psalm eine deutliche Einheit bildete, so hätte man nach H. Gunkel auch den ersten Teil des Liedes ebenso aufzufassen. Aber der Psalm nehme, wie aus vielen Stellen hervorgehe, Stücke aus älteren Dichtungen auf und dürfe jedenfalls als Kunstwerk nicht allzu hoch eingeschätzt werden. Daher sei es nicht verwunderlich, daß er mit den eschatologischen Bestandteilen andere zusammenstelle, die sicher nicht so zu verstehen seien: dahin gehöre Jahwes Vergleichung mit den Götzen (V. 4f.), der Hinweis auf die Schöpfung (V. 5) und der Preis des Heiligtums (V. 6b). So werde man geneigt sein, auch für V. 1-3 einen allgemeineren Sinn anzunehmen.[2]

Während H. Gunkel nur Ps 96,7-13 zu den Liedern von Jahwes Thronbesteigung rechnet[3], stellen S. Mowinckel[4] und die Befür-

---

[1] H. Gunkel, Psalmen (1929[4]), 421; ders., Einleitung (1933), 32.

[2] H. Gunkel, Psalmen (1929[4]), 421.

[3] H. Gunkel, Einleitung (1933), 82-83.100, bemerkt, daß in Ps 96 einem all-

worter seiner Darstellung des israelitischen Thronbesteigungs-
festes⁵ Ps 96 insgesamt zu den Thronbesteigungsliedern.
H.-J. Kraus wiederum sieht den "Sitz im Leben" von Ps 96 im
nachexilischen Laubhüttenfest gegeben. Das Neue an der nachexilischen Verherrlichung des "Königs" Jahwe sei die eschatologische
Sicht, wie sie durch Deuterojesaja aufgerissen worden sei.⁶
Allein aus dieser Diskussion geht zur Genüge hervor, daß über
die Einheit des Textes von Ps 96 weit auseinandergehende Differenzen bestehen.
Eine besondere Frage stellt dann das Verhältnis zwischen Ps
29,1-2 und 96,7-9 dar.
H.L. Ginsberg geht bei seinem Vergleich von Ps 96 mit 29 von
der Annahme aus, daß das Echo von Ps 29 in 96,7.8a und 9a offensichtlich sei. Da nach Ps 96,5 die Götter der Heiden als Nichtse
deklariert würden, sei es logisch, wenn er sie in V. 7 durch *mšphwt*
'mjm "Familien der Völker" ersetze.⁷
Nach K. Seybold ging man nach dem zerstörten Tempel in Jerusalem daran, das nachgelassene Erbe zu ordnen.⁸ Unter dem aus
den Tempelarchiven geretteten liturgischen Material habe man
auch die Theophanieagende des 29. Psalms gefunden. Nach allem,
was man über das Leben am zweiten Tempel wisse, habe man die
alten Liturgien nicht einfach übernommen und da weitergemacht,
wo man 70 Jahre vorher habe aufhören müssen. Man habe sich
zwar zu dem Erbe bekannt und es bewahrt, habe aber auch daraus
Neues geschaffen. Dieser Prozeß der Aneignung der klassischen
Tradition spiegele sich in drei Reaktionen auf die Herausforderung
des 29. Psalm: 1. Ps 96 — ein sicher nachexilischer Text — rufe dazu auf, Jahwe "ein ganz neues Lied zu singen". Der Psalmist gehe
mit gutem Beispiel voran und rezitiere den Eingang des alten

gemein gehaltenen Hymnus (V. 1-6) unorganisch ein Thronbesteigungslied
hinzugefügt worden sei.
⁴ S. Mowinckel, PIW I (1967), 142-143.183.186; II (1967), 243.
⁵ J. Gray, BDRG (1979), 68.
⁶ H.-J. Kraus, Psalmen I (1978⁵), 835.
⁷ H.L. Ginsberg, ErIs 9 (1969), 46; ähnlich S.E. Loewenstamm, AOAT 204
(1980), 299 Anm. 21.
⁸ K. Seybold, TZ 36 (1980), 215-216.

Hymnus als Textmuster. Wichtig sei, was Ps 96 aus dem alten Hymnus an die Göttersöhne gemacht habe. Nach K. Seybold liegt folgender Umgestaltungsprozeß vor: "Er hat ihn vollends entmythologisiert. War einst an die Mitglieder der Götterfamilie gedacht nach dem altkanaanäischen Pantheon, dann mehr symbolisch an Wesen und Mächte als widergöttliche Weltfiguren, jetzt ist von den 'Geschlechtern der Völker' die Rede, die in heiligem Schmuck vor ·den Gott der Herrlichkeit zur Huldigung gebeten werden. Insofern kann Ps 96 mit dem ganzen Gewitterkolorit nichts mehr anfangen. Er läßt es weg und ersetzt es eklektizistisch – typisch für die nachexilische Epoche – durch Zitate aus anderen 'Thronbesteigungspsalmen' (93; 98)."[9] In diesem Rahmen von Ps 96 sei dann das Erbstück des 29. Psalms in die große liturgische Komposition von I Chr 16 geraten, welche offenbar als Agende für ein gottesdienstliches Oratorium gedacht gewesen sei. In dieser späten Zeit sei es üblich gewesen, offiziellen liturgischen Texten dadurch kanonische Würde zu verleihen, daß man sie aus der Davidszeit hergeleitet habe. 3. Dieselbe Tendenz zur Hochdatierung und Kanonisierung erkenne man auch in dem Vorgang, der für die Erhaltung des vorexilischen Gesamttextes von Ps 29 entscheidend gewesen sei: "... er erhielt eine Überschrift, und zwar jenen vieldeutigen bis heute nicht ganz geklärten Registraturvermerk 'ein Psalm Davids', 'von' oder 'für David'. Dadurch kam er in eines jener Gesangbücher der nachexilischen Gemeinde, aus denen der Psalter entstand."[10]

Es wurde auch der Vorschlag gemacht, sowohl Ps 29,1-2 als auch 96,7-9 als sekundäre Texterweiterungen zu verstehen.[11] Vereinzelt wurde auch eine Beeinflussung des Textes von Ps 29 von Ps 96 her in Erwägung gezogen.[12]

Die Beziehungen zwischen Ps 29 und Ps 96 bedürfen von mehre-

---

[9] K. Seybold, TZ 36 (1980), 216.

[10] K. Seybold, TZ 36 (1980), 216.

[11] O. Loretz, Psalmen II (1979), 436-439.

[12] R.T. Tournay, CiTo 106 (1979), 736, bemerkt z.B.: "Habría también una simetría perfecta entre la estrofa-preludio y la estrofa final si 2b fuera una adición tomada de Sal 96,9a, salmo dependiente de Sal 29 y formado por una serie de tercetos."

ren Aspekten her einer Überprüfung. Denn es steht nicht nur zur
Debatte, ob und inwieweit in Ps 96,7-9 der Abschnitt 29,1-2 übernommen und interpretiert wird, sondern auch, ob in beiden Psalmen derselbe Umgang mit den Texten der Tradition prägend gewesen ist.

13.2. Kolometrie und Übersetzung von Ps 96

96.1.1.	*šjrw l JHWH šjr ḥdš*	15	Singt Jahwe ein neues Lied,
96.1.2.	*šjrw l JHWH kl h 'rṣ*	15	singt Jahwe, alle Welt!
96.2.1.	*šjrw l JHWH brkw šmw*	16	Singt Jahwe, huldigt seinem Namen,
96.2.2.	*bśrw m jwm l jwm jšw'tw*	18	verkündet sein Heil Tag für Tag!
96.3.1.	*sprw b gwjm kbwdw*	14	Erzählt unter den Heiden seine Herrlichkeit,
96.3.2.	*b kl h 'mjm npl'wtjw*	16	unter allen Völkern seine Wunder!
96.4.1.	*kj gdwl JHWH w mhll m'd*	18	Denn groß ist Jahwe und hoch zu loben
96.4.2.	*nwr' hw' 'l kl 'lhjm*	16	über alle Götter ist er zu fürchten!
96.5.1.	*[kj kl 'lhj h 'mjm 'ljljm*	[19]	[Denn alle Götter der Heiden sind nichtig,
96.5.2.	*w JHWH šmjm 'śh]*	[12]	Jahwe aber hat den Himmel geschaffen!]
96.6.1.	*hwd w hdr l pnjw*	12	Majestät und Hoheit vor seinem Angesicht,
96.6.2.	*'z w tp'rt b mqdšw*	14	Herrlichkeit und Pracht in seinem Heiligtum.
96.7.1.	*hbw l JHWH mšpḥwt 'mjm*	18	Bringet Jahwe, ihr Geschlechter der Völker,
96.7.2.	*hbw l JHWH kbwd w 'z*	15	bringet Jahwe Ehre und Macht,
96.8.1.	*hbw l JHWH kbwd šmw*	15	bringet Jahwe seines Namens Ehre!
96.8.2.	*[ś'w mnḥh w b'w l ḥṣrwtjw]*	[19]	[Tragt Gaben herbei; tretet in seine Vorhöfe ein!]

96.9.1.	*hšthww l JHWH b hdrt qdš*	20	Fallt nieder vor Jahwe in heiligem Schmuck
96.9.2.	[*hjlw m pnjw kl h 'rṣ*]	[15]	['Huldigt ihm', alle Welt!]
96.10.1.	*'mrw b gwjm JHWH mlk*	16	Verkündet unter den Heiden: "Jahwe ward König!"

96.10.2.	[*'p tkwn tbl bl tmwt*]	[15]	[Fürwahr, 'er hat' die Erde 'befestigt', daß sie nicht wankt!]
96.10.3.	[*jdjn 'mjm b mjšrjm*]	[15]	[Er richtet die Völker mit Gerechtigkeit!]

96.11.1.	*jšmḥw h šmjm w tgl h. 'rṣ*	18	Es juble der Himmel und es frohlocke die Erde,
96.11.2.	*jr'm h jm w ml'w*	12	das Meer erbrause und was es füllt!

96.12.1.	*j'lz šdj w kl 'šr bw*	15	Es jauchze die Flur und alles darinnen,
96.12.2.	*'z jrnnw kl 'ṣj j'r*	15	'auch' des Waldes Bäume sollen jubeln!

96.13.1.	[*l pnj JHWH kj b'*	12	[Vor Jahwes Antlitz, denn er kommt,
96.13.2.	*kj b' l špṭ h 'rṣ*	12	denn er kommt, die Erde zu richten.

96.13.3.	*jšpṭ tbl b ṣdq*	11	Er richtet die Welt in Gerechtigkeit
96.13.4.	*w 'mjm b 'mwntw*]	12	und die Völker nach seiner Treue.]

13.3. Bemerkungen zur Kolometrie und Übersetzung

96.5.1.-96.5.2. Eine *kî*-Glosse zu *'lhjm* am Ende von 96.4.2. Wahrscheinlich stellt 96.5.2. einen Zusatz zur *kî*-Glosse 96.5.1. dar. C. Petersen, Mythos im Alten Testament (1982), 185 Anm. 7, betrachtet V. 5 als ursprünglich. Dagegen spricht jedoch, daß dem Kolon ein Parallelismus membrorum fehlt.

96.8.2. S.E. Loewenstamm, AOAT 204 (1980), 299 Anm. 21, sieht 96.8.2. als explicatio zu 96.8.1. an, so daß dadurch das Kolon 96.9.1. von seiner ursprünglichen Stelle entfernt worden sei.

96.9.1.+96.10.1. Gegenüber Ps 29.2.2.+29.9.3. (siehe Kap. 2 und 3) liegt in diesem Bikolon eine radikale Umformung der Aufforderung vor, den himmlischen Kö-

nig zu verehren. An die Stelle des Parallelismus *b*
[*hdrt*] *qdš<w>* // *b hjklw* wird hier *b hdrt qdš* //
b gwjm JHWH mlk eingesetzt. Es ergibt sich somit
folgendes Bild von Textumwandlung und rückwir-
kender Angleichung:

29.2.2. *hšthww l JHWH b* [*hdrt*] *qdš<w>* 96.9.1. *hšthww l JHWH b hdrt qdš*
29.9.3. *w b hjklw* [*klw*] *'mr<w> kbwd*   96.10.1. *'mrw b gwjm JHWH mlk*

Die Annahme, daß 29.2.2. aus 96.9.1. entnommen sein könnte,
hat demnach keine Berechtigung; vgl. R.J. Tournay, CiTo 106
1979), 736.

96.10.2.	Zitat aus Ps 93,1; siehe BHSc-c; zu *tkwn* siehe BHSd.
96.10.3.	Zitat, das Ps 9,9 entspricht. Das isolierte Kolon dürfte kaum als fragmentarische Einleitung zum folgenden Abschnitt 96.11.1.-96.12.2. zu verstehen sein.
96.12.2.	H. Gunkel, Psalmen (1929[4]), 423, liest *'p* anstelle von *'z*.

96.13.1.-96.13.4. Glosse nach Ps 98,9; siehe C.A. Briggs, Psalms II
(1907), 305.

13.4. Offene Fragen zur Parallelisierung von Ps 29,1-2.9aγ.b mit Ps 96,7-10

Wenn wir von der Annahme einer Spätdatierung von Ps 29 ausgehen, steht nicht mehr das Problem einer direkten Ableitung
von Ps 96,7-10 — Teil eines gleichfalls spät entstandenen Liedes[13]
— von Ps 29,1-2.9aγ.b im Vordergrund. Selbst wenn erstere Stelle
ein Zitat aus Ps 29, und nicht aus dessen Vorlage ist, bleibt zu beachten, daß auch aus diesem Abhängigkeitsverhältnis kein frühes
Datum für Ps 29 gefolgert werden könnte. Sowohl Ps 29 als auch
Ps 96 und I Chr 16,28-29 bezeugen die Beliebtheit des ihnen gemeinsamen Motivs.

---

[13] Siehe zur Spätdatierung von Ps 96 u.a. C. Petersen, Mythos im Alten Testament (1982), 188.

Aus einem Vergleich von Ps 96,7-10 mit Ps 29,1-2.9aγ.b dürfte zu schließen sein, daß beide Texte auf einen gemeinsamen Ursprung zurückgehen, wobei in Ps 96 offensichtlich eine tiefgreifende Umformung der Vorlage erfolgt ist. Es bestehen keine zwingenden Gründe, Ps 96.9.1.+96.10.1. als aus Ps 29 entnommen zu betrachten. Gleichzeitig muß betont werden, daß auch das Gegenteil mit dem uns zur Verfügung stehenden Material nicht schlüssig bewiesen werden kann.

Sowohl Ps 29 im Gesamten als auch Ps 96,7-10 gewähren Einblick in die Methoden der Textherstellung, die in nachexilischer Zeit üblich waren. Texte wurden nicht nur umgeformt, wie ein Vergleich von Ps 29.2.2.+29.9.3. mit Ps 96.9.1.+96.10.1. zeigt, sondern durch Glossen und Zitate von teilweise größerem Umfang erweitert und kommentiert.

Die Angleichung von *b qdš<w>* (Ps. 29.2.2.) an *b hdrt qdš* (Ps 96.9.1.) verdeutlicht zugleich, daß wir mit einem wechselseitigen Prozeß des Nehmens und Angleichens zu rechnen haben.

KAPITEL 14

DIE THEOPHANIE IM GEWITTER
UND DIE ERSCHÜTTERUNG DER NATUR

Die Erscheinung des Gewittergottes und der damit verbundene Aufruhr des Meeres sowie die nachfolgende Erschütterung des Festlandes verbindet Ps 29.3.1-29.9.2. mit mehreren biblischen Texten.[1] Das Zitat Ps 77,17-19 beleuchtet die Theophanieschilderung in Ps 29 besonders ausführlich:

77.17.1.	*r'wk mjm 'lhjm*	12	Wasser schauten dich, 'Jahwe'
77.17.2.	*r'wk mjm jhjlw*	12	Wasser schauten dich, bebten,
77.17.3.	*'p jrgzw thmwt*	12	auch die Fluten erschraken.
77.18.1.	*zrmw mjm 'bwt*	11	Wolken strömten Wasser,
77.18.2.	*qwl ntnw šḥqjm*	12	Gewölk donnerte laut,
77.18.3.	*'p ḥṣṣjk jthlkw*	13	auch deine Pfeile flogen.
77.19.1.	*qwl r'mk b glgl*[2]	12	Deines Wagens Donner erschallte,
77.19.2.	*h'jrw brqjm*[3] *tbl*	13	'deine' Blitze erhellten die Welt,
77.19.3.	*rgzh w tr'š h 'rṣ*	13	die Erde erschrak und schwankte.

(Ps 77,17-19).

Die Erscheinung des Gewittergottes wird mit archaischem Vokabular auch in dem Fragment Ps 97,2-5 beschrieben:

97.2.1.	*'nn*[4] *w 'rpl sbjbjw*	14	Gewölk und Dunkel um ihn her
	...		...
97.3.1.	[*'š l pnjw tlk*	[10]	[Feuer geht vor ihm her
97.3.2.	*w tlhṭ sbjb ṣrjw*]	[13]	und verbrennt ringsum seine Feinde.]

---

[1] Siehe zu dieser Thematik in außerbiblischer und biblischer Literatur u.a. H. Schulz, Das Buch Nahum (1973), 76-90; J. Jeremias, Theophanie (1977[2]), 73-90; E. Lipiński, DBS 9 (1979), 16-23; C. Macholz, in: FS Westermann (1980), 329-333; S.E. Loewenstamm, The Trembling of Nature during the Theophany (1980), 173-189.

[2] Hinweis auf das Rad des Wagens des Gewittergottes, das den Donner erzeugt, siehe u.a. S.E. Loewenstamm, The Trembling of Nature during the Theophany (1980), 180 Anm. 14.

[3] BHSa.

[4] Erstes oder zweites Kolon eines Bikolons. Siehe zu Ps 97 u.a. E. Lipiński,

| 97.4.1. | *h'jrw brqjw tbl* | 13 | Seine Blitze erhellen die Welt, |
| 97.4.2. | *r'th w thl h 'rṣ* | 12 | die Erde sieht es und kreisst. |

| 97.5.1. | *hrjm k dwng nmsw*[5] | 13 | Berge zerschmelzen wie Wachs |
| ..... | | ..... | |

Der mit Kriegswagen erscheinende Gewittergott erschüttert als Kriegsheld mit seinen Waffen Meer, Festland und Berge. In Hab 3,8-11[6] und Ps 18,8-16 (= II Sam 22,8-16)[7] sind weitere großartige Beschreibungen aus diesem Themenkreis erhalten. Von besonderer Bedeutung für einen Vergleich mit Ps 29 ist die Darstellung des Sturmes, der in Nah 1,3-6 eingearbeitet wurde[8]:

| 1.3.3. | *b swph w b š'rh drk w* | 15 | Im Sturm und Wetter ist sein Weg |
| 1.3.4. | *w 'nn 'bq rgljw* | 12 | und Gewölk ist der Staub seiner Füße. |

| 1.4.1. | *gw'r b jm w jbšhw*[9] | 13 | Er schilt das Meer und trocknet es aus, |
| 1.4.2. | *w kl h nhrw t hhrjb* | 14 | und alle Ströme läßt er versiegen. |

| 1.4.3. | *'mll*[10] *bšn w krml* | 12 | 'Es verschmachten' Basan und Karmel, |
| 1.4.4. | *w prh lbnn 'mll* | 12 | und die Blüte des Libanon verwelkt. |

| 1.5.1. | *hrjm*[11] *r'šw mmnw* | 12 | Berge beben vor ihm, |
| 1.5.2. | *w h gb'wt htmggw* | 13 | und die Hügel schwanken hin und her, |

| 1.5.3. | *w tś'*[12] *h 'rṣ m pnjw* | 13 | 'verödet liegt' die Erde vor ihm, |
| 1.5.4. | *w tbl*[13] *w kl jšbj bh* | 13 | und das Festland und alle seine Bewohner. |

| ..... | | ..... | |

La Royauté de Yahwé (1968), 173-275; J. Coppens, Royauté (1979), 168-173.
[5] Der Rest fehlt.
[6] Siehe zu Hab 3,8-11 u.a. J. Jeremias, Theophanie (1977[2]), 38-43. 171; J. Day, VT 29 (1979), 146-147.
[7] J. Jeremias, Theophanie (1977[2]), 34-38.
[8] Siehe zur Stellung der Theophanieberichte in hymnischen Zusammenhängen H. Schulz, Das Buch Nahum (1973), 79-83.
[9] BHSa.
[10] BHSb.
[11] BHSa.
[12] BHSa.
[13] BHSc-c.

| 1.6.3. | ḥmtw ntkh k 'š | 11 | Sein Grimm ergießt sich wie Feuer, |
| 1.6.4. | w h ṣrjm ntṣw[14] mmnw | 14 | selbst Felsen geraten vor ihm in Brand! |

(Nah 1,3-6)[15]

Aus Nah 1,3-6 und Ps 29.3.1.-29.9.2. geht deutlich hervor, daß in einer Beschreibung des Weges des Wettergottes neben mythischen Elementen auch geographische Angaben aus dem Bereich des Libanons und der angrenzenden Gebiete erscheinen können. Die Einbeziehung der Hymnen auf den Wettergott Baal in die Jahwe-Texte wird der hauptsächliche Grund für die bruchstückhafte Überlieferung der Texte sein. Dies trifft auch auf das Zitat aus einem solchen Lied auf Baal-Jahwe in Ps 29 zu. Es ist deshalb kaum möglich, die Urgestalt der Theophanieschilderung in Hymnen nach Art von Ps 29 zu sehen.[16]

J. Jeremias hat Jdc 5,4f als die Form biblischer Theophanieschilderung verstanden, aus der sich alle anderen des Alten Testaments entwickelt hätten. Auf die Beschreibung des Kommens Jahwes folge als zweite die der Wirkung seines Kommens auf die Natur.[17] In Ps 29.3.1.-29.9.2. sei hauptsächlich das zweite Glied der zweigliedrigen Aussage erweitert worden.[18]

Dagegen wendet H. Schulz wohl zu Recht ein, daß der gesamte "Hauptteil" des Psalms (V. 3-9) nicht die Erweiterung des zweiten Gliedes der von J. Jeremias postulierten Grundform sein könne.[19] Denn in Ps 29 würden außergewöhnliche Naturgewalten unmittelbar — eingliedrig — als Handlungen der Gottheit oder Wirkungen ihrer Kräfte geschildert. Ps 29 beweise, daß solche Darstellungen gottheitlicher Naturmacht mit innerer Notwendigkeit mehrere

---

[14] BHSb.

[15] Siehe zu Nah 1,3-6 u.a. H. Schultz, Das Buch Nahum (1973), 9-11.76-90; J. Jeremias, Theophanie (1977²), 31-33.

[16] Vgl. H. Schulz, Das Buch Nahum (1973), 80: "Am naheliegendsten ist es, die Urgestalt der Theophanieschilderung in Hymnen nach Art von Ps 29 zu sehen. Der alttestamentliche Befund fände damit auch formal eine mit den vorderorientalischen Vergleichstexten am besten übereinkommende Erklärung."

[17] J. Jeremias, Theophanie (1977²), 7-16.

[18] J. Jeremias, Theophanie (1977²), 31.

[19] H. Schulz, Das Buch Nahum (1973), 80-81.

Glieder nach sich gezogen und sich zu ganzen Hymnen mit glei-
chem Grundthema erweitert hätten. Weder aus dem Gesamtaufbau
des Psalms 29 noch aus den stereotyp eingeteilten Einzelelementen des Hauptteils lasse sich nachträgliche Erweiterung der von J.
Jeremias vorausgesetzten zweigliedrigen Grundform wahrscheinlich machen. Ps 29 lege schon für das (hypothetische) Ausgangs-
stadium die Annahme einer längeren Reihe nahe. Auf jeden Fall
erkläre sich die literarische Selbständigkeit der Theophaniegattung
am besten, wenn man selbständige Theophaniehymnen als Ausgangspunkt der literarischen Entwicklung annehme. Seien nun
Teile solcher Theophanieschilderungen weiter in die Hymnenli-
teratur eingedrungen, wie im AT zu beobachten, dann brauche dieser Vorgang nicht von vornherein unter dem Aspekt eines sekundären Auflösungsprozesses der Gattung zu erscheinen. Gerade die
Spezifika der Gattung machten ihre Verwendung in verschiedenen
Psalmengattungen möglich. Daß sich die Selbstdarstellung der
Gottheit im Naturaufruhr am besten als hymnischer Introitus geeignet habe, sei nicht verwunderlich. Der Aufbau der Gattung aus
mehreren analogen Einzelelementen habe Auswahl und Neufor-
mung einzelner Elemente ohne Auflösung des Wesensgehaltes der
Theophanie gestattet. Die Geschichte der Gattung zeige die Ent-
faltung der in ihr angelegten Konsequenzen. Im Prinzip der Rei-
hung analoger Elemente liege die Variabilität der Form (Reduk-
tion auf ein Grundelement, Addition der Elemente nach je neuen
leitenden Gesichtspunkten), im Motiv der göttlichen Selbstdarstellung die zur Ausweitung ihrer Wirkungen drängende Variabilität des Gehalts.

Wenn wir bei der Beurteilung von Ps 29 von der Hypothese über
die Einheitlichkeit des Textes und seines hohen Alters absehen,
dann tritt umso mehr hervor, daß auch in diesem Lied der Theophaniebericht ein zitiertes Kompositionselement verkörpert. Ps
29 läßt sich so ohne Einschränkungen an die Texte anreihen, in
denen er Einleitungsfunktion hat.[20] Für Ps 29 trifft gleichfalls
und grundsätzlich zu, daß in ihm der Theophaniebericht als Kompositionselement eines hymnischen Textes verstanden und verwendet wurde.[21]

[20] H. Schulz, Das Buch Nahum (1973), 79.

In seinen Darlegungen zur Geschichte der Theophanietexte im AT gelangte J. Jeremias zum Ergebnis, daß Israel in seinen Festen, in denen das Königtum Jahwes im Mittelpunkt gestanden habe, *nie* Jahwes Kampf zur Erringung seines Königtums gegen göttliche Chaosmächte gefeiert, wohl aber den König Jahwe als siegreichen Chaoskämpfer bei der Gewinnung seines Landes und seines Herrschaftssitzes (Ex 15; Ps 47) bzw. deren Verteidigung gegen alle drohenden Gefahren (Ps 46; 48; 76; 93). So sei er König des Universums geworden, der Jahwe von Urzeit gewesen sei (Ps 93,2), zum König in Israel (Dtn 33,5), freilich nun für alle Zeiten (Ps 29,10f; 93,5).[22] Werfe man nun die Frage auf, welche Funktionen die Theophanietexte in diesem neuen Kontext ausgeübt hätten, so ergebe sich für Ps 29, daß in ihm das Ertönen der Donnerstimme Jahwes wie in Kanaan stetiger Erweis der unwiderstehlichen Macht des über dem Himmelsozean thronenden Weltenherrschers über alle Mächte, der Erweis einer Macht sei, an der das erwählte Volk Anteil erhalte (V. 11).[23] Der Texten wie Jdc 5,4f. gegenüber fremdeste Gebrauch der Theophanieschilderung zum Lobpreis statisch-zeitloser Macht des Weltenkönigs hänge untrennbar mit dem von den Kanaanäern übernommenen Vorstellungskreis des universalen Königtums Jahwes zusammen. Die "fast durchgängig in Ugarit belegte Terminologie von Dt. 33,26; Ps. 68,5.34 und Ps. 29"[24] beweise dies eindeutig. Da J. Jeremias gleichzeitig postuliert, daß die für die alttestamentlichen Theophanieschilderungen grundlegende Vorstellung das Kommen Jahwes aus der Wüste des Sinai unter dem Aufruhr der Natur sei (Jdc 5,4f), gelangt er zu folgendem Ergebnis der Entwicklung: "Kurz und vereinfachend ausgedrückt: Der traditionsgeschichtliche Weg der Theophanieschilderung im Nordreich der vor- und frühstaatlichen Zeit von Ri 5 einerseits und Ps. 29 andererseits zu Dt. 33 und weiter zu

---

[21] H. Schulz, Das Buch Nahum (1973), 81-82, weist zu Recht darauf hin, daß es aus den behandelten Gründen nicht zulässig sein kann, mit J. Jeremias Jdc 5,4f. bei der Untersuchung des Sitzes im Leben der Gattung zugrunde zu legen.

[22] J. Jeremias, Theophanie (1977²), 188.

[23] J. Jeremias, Theophanie (1977²), 189.

[24] J. Jeremias, Theophanie (1977²), 190.

Ps. 68 in seiner vorliegenden Jerusalemer Gestalt ist vorstellbar und plausibel, der umgekehrte Weg undenkbar."[25] Wenn wir von einer vorexilischen Frühdatierung von Ps 29 absehen, ergibt sich von selbst, daß damit eine der beiden Säulen der von J. Jeremias postulierten Entwicklungsgeschichte der alttestamentlichen Theophanieschilderungen wegfällt. Es ergibt sich so unmittelbar von einer Spätdatierung von Ps 29 her mit Notwendigkeit die Frage, ob es möglich ist, Jdc 5,4f. in dem von J. Jeremias geforderten Sinn, als Ausgangspunkt der Entwicklung der Theophanieschilderungen zu nehmen.[26]

E. Lipiński folgt in seiner Interpretation der Theophanieschilderungen grundsätzlich der von J. Jeremias vorgezeichneten Linie.[27] Im einzelnen weicht er jedoch im Verständnis von Ps 29 insoweit erheblich von J. Jeremias ab, als er den Mittelteil des Liedes als Einschub betrachtet. Er schreibt: "Un quatrième poème théophanique se retrouve en Ps, xxix, 3-9b … Il est inséré aujourd'hui en plein milieu d'un hymne impératif (v. 1-2, 9c-10), ultérieurement par une formule de bénédiction à l'adresse d'Israël (v. 11). Il est évident, en effet, que le v. 9c (litt. 'Accomplissez [killu] dans son sanctuaire la parole de gloire') était originairement le membre parallèle du v. 2b ('Prosternez-vous devant Yahwé dans la splendeur [?] du sanctuaire') dont il a été séparé lors de l'insertion des v. 3-9b."[28]

Aus der Verbindung der Erscheinung Baals im Gewitter und der damit verbundenen Vertreibung seiner Feinde in KTU 1.4 VII 29-37 leitet E. Lipiński ab, daß die Theophanien Baals direkt mit dem Krieg verbunden gewesen seien. Der Opferschaupriester (haruspex) habe die Krieger begleitet und den Gott gebeten, die Feinde in Schrecken zu versetzen und in die Flucht zu schlagen. Daraus folgert er, daß die Theophaniebeschreibungen in diesem Kontext wurzelten[29] und die israelitischen Ausformungen dieser Gat-

---

[25] J. Jeremias, Theophanie (1977²), 191.

[26] H. Schulz, Das Buch Nahum (1973), 81-83, gelangt z.B. diesbezüglich zu einem negativen Urteil.

[27] E. Lipiński, Psaumes I, Les genres littéraires: III. Les théophanies, DBS 9 (1979), 17-18.

[28] E. Lipiński, DBS 9 (1979), 18.

tung analog den heiligen Kriegen der Richterzeit entsprungen seien.[30]

Im Gegensatz zu J. Jeremias betont jedoch E. Lipiński, daß der Sitz im Leben dieser Gattung nicht die Siegesfeier gewesen sei. Denn Jdc 5,4-5.31ab, der so rekonstruierte Text eines Theophanie-Hymnus, der dem Debora-Lied vorausliege[31], stelle eine Parallele zu KTU 1.4 VII 29-37 dar. Trotz der exakten Parallele sei jedoch auf einen Unterschied hinzuweisen. Er schreibt: "Il y a toutefois une différence qui mérite d'être soulignée: Baal se manifeste dans l'orage qui éclate, tandis que Yahwé semble être assimilée au soleil qui sort à la pointe du jour des montagnes situées à l'est de la Mer Morte. La mention du soleil en Jud., v. 31b ... La conviction, attestée plus tard, que Yahwé aide son peuple 'à la pointe du jour' (cf. Ps., XLVI, 6; Is., XVII, 14; XXXIII, 2b), parait s'inscrire dans la ligne de la même tradition. Celle-ci est toutefois liée dans les textes aux éléments provenant des théophanies du dieu de l'orage."[32] Aus diesen und anderen Hinweisen leitet er ab, daß die israelitischen Theophaniebeschreibungen ihren Sitz im Leben im Ritual zu Beginn eines Jahwe-Krieges gehabt hätten. Er präzisiert diesen Vorschlag noch folgendermaßen: "Ou peut penser plus précisément à un cérémonial accompli à l'aube du jour de la bataille, à l'aube du 'Jour de Yahwé'."[33]

Von dieser Warte aus betrachtet versteht E. Lipiński notwendigerweise die Theophaniebeschreibung von Ps 29 als eine Adaption. Er stellt dies so dar: "Des textes théophaniques furent aussi repris dans des psaumes composites, tels les Ps. XVIII; XXIX; LXXVII. Certains de ces textes, surtout Ps., XXIX, 3-9, ne témoignent d'aucun lien avec les guerres de Yahwé. Ceci s'explique par le fait que le genre orientale de théophanie avait un *Sitz im Leben* plus général que la majorité des théophanies bibliques. C'est la

---

[29] E. Lipiński, DBS 9 (1979), 21: "La situation dont le genre est issu devra donc être cherchée dans le contexte religieux de la guerre, probablement dans le rituel accompli par le *baru* avant la bataille."

[30] E. Lipiński, DBS 9 (1979), 22.

[31] E. Lipiński, DBS 9 (1979), 22.

[32] E. Lipiński, DBS 9 (1979), 22.

[33] E. Lipiński, DBS 9 (1979), 22.

prière cultuelle récitée par le prêtre incantateur au lever ou au cou-
cher du soleil, au moment de l'apparition de la lune ou du dé-
chaînement de l'orage, qui se trouve vraisemblablement à l'origine
du genre. Il y a lieu de croire qu'elle a continué à mener son exi-
stence première même là où le genre s'est spécialisé, comme ce fut
le cas en Israël et aussi en Babylonie, où l'hymne théophanique a
été étroitement associé à des incantations d'origine sumérienne."[34]

Die Bindung des Gewitters in Ps 29 an die geographischen Ge-
gebenheiten des nördlichen Libanons dürfte anzeigen, daß dieser
Rahmen bereits der jahwistischen Fassung der Beschreibung der
Erscheinung des Gewittergottes zugrundegelegen hat. Dieser Sachverhalt dürfte zugleich erweisen, daß im vorisraelitischen Text
wohl nicht von mythischen oder menschlichen Feinden Baals die
Rede war, sondern der Weg eines Gewitters und Baals Macht verherrlicht wurde. Es wird somit E. Lipiński darin zuzustimmen sein,
daß die in Ps 29 erhaltene Theophaniebeschreibung nicht von der
Hypothese über einen Zusammenhang zwischen Theophanie und
Jahwe-Krieg her erklärbar ist.

Von seinem Standpunkt her kam J. Jeremias zum Ergebnis, daß
in Ps 29 das Ertönen der Donnerstimme Jahwes wie in Kanaan stetiger Erweis der unwiderstehlichen Macht des über dem Himmelsozean thronenden Weltenherrschers über alle Mächte sei.[35] Da jedoch die in Ps 29 vorgenommene Verbindung von El- und Baalmotiven in Ugarit und Kanaan noch unbekannt war und erst ein Pro-
dukt der nachexilischen Zeit ist, kann dieser Psalm keinesfalls als
ein Zeugnis für eine enge und frühe Verbindung Israels mit kanaa-
näischem Gedankengut über das göttliche Königtum angeführt
werden.[36]

Aus einem Vergleich von Ps 29 mit I Reg 19,11-13 hat C. Macholz erschlossen, daß die Trias Wind-Erdbeben-Feuer mit der
Schilderung der Theophanie Baals, wie sie in Jerusalemer Ausprägung von Zusammenschau von El- und Baalmotiven dem Ps 29 zugrunde liege, zusammen stimme.[37] Die Trias werde vom Erzähler

---

[34] E. Lipiński, DBS 9 (1979), 23.
[35] J. Jeremias, Theophanie (1977[2]), 189.
[36] Vgl. J. Jeremias, Theophanie (1977[2]), 30-31.188-189.
[37] C. Macholz, in: FS Westermann (1980), 330-333.

genannt, weil sie seinen Hörern bzw. Lesern als Charakteristikum der Erscheinung Baals bekannt sei. Ihnen werde in polemischer Schärfe gesagt, daß im Wind, im Beben, im Feuer Jahwe nicht sei. Sie sollten wissen, daß Jahwe auch in seinem Erscheinen anders sei als Baal. Denn nicht nur die Israel umgebenden Völker, sondern auch die Israeliten selber hätten das Kommen Baals mit den Naturgewalten in Verbindung gebracht.

Die Trias der Naturgewalten Wind-Erdbeben-Feuer sei I Reg 19 und Ps 29 als geprägter Komplex vorgegeben. Beide Texte verhielten sich zum gleichen vorgegebenen aber in völlig verschiedener Weise: Der Jerusalemer Ps 29 übernehme vielleicht einen ganzen jebusitischen Hymnus, jedenfalls aber einen ganzen Traditionskomplex, präge ihn um und lege ihn als Jahwe-Lob in den Mund Israels. Ps 29 sei eins von den vielen Beispielen für den Sprachgewinn, den Israel der Kontinuität des Kultes im von David eingenommenen und von Salomo ausgebauten Jerusalem verdanke. Aber I Reg 19 übernehme diesen Traditionskomplex keineswegs. Er werde vielmehr ausdrücklich abgewiesen, wenn vom Erscheinen Jahwes gesprochen werde: Wind, Beben und sogar Feuer seien nur Hofstaat Jahwes, seien nur Vortrab; doch Jahwe selbst begegne nicht in ihnen, sondern im *qwl dmmh dqh*, in einer "Stimme verschwebenden Schweigens" (Buber). C. Macholz gelangt so zum Ergebnis: "Mit den Mitteln der konkreten hebräischen Sprache wird versucht, das eigentlich nicht Sagbare auszusagen: Jahwe und seine Erscheinung im Gegensatz zu Baal und seiner Erscheinung — *non taliter, non aliter, sed totaliter aliter.*"[38]

Bei einem Vergleich von Ps 29 mit I Reg 19,11-13 wird in erster Linie hervorzuheben sein, daß die Trias *rwh gdwlh* "Sturm" — *r's* "Erdbeben" — *'s* "Feuer" des letzteren Textes in Ps 29 fehlt.[39] In Ps 29 wird nur der Weg eines Gewittersturmes nachgezeichnet.

Das Zitat aus einem Hymnus auf den Wettergott Baal-Jahwe in Ps 29 gibt zu erkennen, daß Vereinfachungen und unvorsichtige Vergleiche mit außerbiblischen und biblischen Texten wenig zur Erkenntnis der Vorgeschichte der Theophanietexte beitragen. Es dürfte kaum Gewinn bringen, alle Texte dieser Gruppe auf einen

---

[38] C. Macholz, in: FS Westermann (1980), 333.

[39] Ps 29,6-7 sind als sekundäre Zutaten zu bewerten, siehe Kap. 2-3.

Sitz im Leben zurückführen zu wollen. In Ps 29 dürfte jedenfalls
ein Zitat aus einem längeren Theophaniehymnus vorliegen, der in
seiner Urform der Verherrlichung Baals diente. Die israelitische
Form dieses Hymnus stellt entweder eine Um- oder Nachdichtung
einer kanaanäischen Vorlage dar. Wenn wir von der Hypothese Ab-
stand nehmen, daß Ps 29 direkt an die ug. Literatur zeitlich an-
schließe, besteht ohnehin keine Möglichkeit oder Notwendigkeit,
mit einem bloßen Austausch des Wortes Baal gegen den Namen
Jahwes zu argumentieren. Der kolometrisch einfache Aufbau des
Theophanieabschnittes in Ps 29 legt von selbst nahe, an einen israelitischen Hymnus zu denken, aus dem er entnommen wurde.

Vom fragmentarischen Charakter der in Ps 29 tradierten Theophanieschilderung her gesehen ist jeder Versuch kritisch zu bewerten, bei dem von einem Teil her zu weit gehende Schlüsse auf den
Ursprung und Charakter der Theophanietexte gezogen werden. Ps
29 läßt wenigstens die Vermutung zu, daß in Hymnen auf den
Wettergott Baal-Jahwe auch Beschreibungen enthalten sein konnten, in denen Mythos und Naturbeschreibung vereinigt wurden.
Wir gewinnen auf diesem Wege auch von Ps 29 her einen wichtigen
Hinweis für das Verständnis der ug. Texte über Baal. Denn der Einbezug von konkreten geographischen Angaben in den Mythos
zeigt, daß es sich keineswegs nur um einen Naturmythos handelt,
sondern um einen kosmologischen Mythos.[40] Zu diesem Kosmos
gehört nicht nur die Natur, sondern auch der Bereich von Geographie und Geschichte. Neben die heilige Geographie, in der der
Wohnsitz Baals auf dem Berg Ṣapon und das Baal-Heiligtum in
Ugarit einander zugeordnet werden[41], tritt so das Libanongebirge,
das zwischen Meer und Wüste gleichfalls als Ort der Erscheinung
des Wettergottes gilt.[42]

---

[40] Siehe zu dieser grundlegenden Frage der Interpretation des Baalmythos F.
Stolz, Funktionen und Bedeutungsbereiche des ugaritischen Baʻalsmythos
(1982), 95-100.
[41] F. Stolz, Funktionen und Bedeutungsbereiche des ugaritischen Baʻalsmythos (1982), 93.
[42] F. Stolz, Strukturen (1970), 155 mit Anm. 29, weist auf das von Th.
Bauer, JNES 16 (1967), 254ff., veröffentlichte Fragment des aB Gilgamesch-
Epos hin, in dem berichtet wird, daß "Sarja und Libanon" auf das Wort Ḫum-
babas hin gezittert hätten. F. Stolz (a.a.O., S. 155 Anm. 29) meint, daß sich

hieraus im Hinblick auf Ps 29 schwer zu deutende Zusammenhänge ergäben. Er schreibt: "Die in Ps 29 verwendeten Motive erscheinen in Ugarit mit Baal, im Gilgameš-Epoch mit Ḫuwawa (wobei hier die Parallele zum Psalm am deutlichsten ist, denn auch hier 'zittern Libanon und Sirjon vor dem Wort' des Gottes), im Enlil-Hymnus mit Enlil. Eine Verbindung zwischen Ḫuwawa und Enlil besteht insofern, als Enlil wahrscheinlich Schutzherr des Wald-Wächters ist. Jedenfalls wird im Hintergrund eine Gottheit stehen, die am Libanon beheimatet war und sowohl mit dem mesopotamischen Enlil, dem ugaritischen Baal und dem jerusalemischen El identifiziert wurde. Vielleicht ist Ḫuwawa-Ḫumbaba der Name dieses Gottes, wobei er im Gilgameš-Epos Enlil untergeordnet und zu dessen Wächter degradiert erscheint." In diesem Versuch der Rekonstruktion des Hintergrundes von Ps 29 wird übersehen, daß Ps 29,6 ein sekundäres Zitat darstellt und Ps 29 insgesamt aus einem El- und einem Baaltext zusammengesetzt ist.

KAPITEL 15

EPILOG – DIE INTERPRETATION VON PS 29 IM
SPANNUNGSFELD ZWISCHEN TRADITION UND NEULAND

Die von den Ugarit-Texten her bestimmte Interpretation von Ps
29, die zuerst von H.L. Ginsberg 1935 vorgetragen worden ist[1],
konnte zwar zahlreiche Anhänger finden und wird von vielen als
absolut gesichert angesehen[2], vermochte jedoch nie die unbezwei-
felte Alleinherrschaft zu erringen. Von ugaritologischer Seite her
wurde vor allem in Zweifel gezogen, daß man von einem kanaa-
näisch-phönizischen Original von Ps 29 sprechen könne.[3] P.C.
Craigie gelangte von einer kritischen Überprüfung der vorgeschlagenen Parallelitäten zwischen ug. Texten und Ps 29 zum Ergebnis:
"To summarize with respect to the Canaanite aspects of Ps 29: it
is clear that there are sufficient parallels and similarities to require
a Canaanite background to be taken into account in developing
the interpretation of the psalm, but it is not clear that those parallels and similarities require one to posit a Canaanite/Phoenician
original of Ps 29."[4]
     In der von H.L. Ginsberg initiierten Interpretationsmethode
war es leicht möglich, den Mittelteil 29.3.1.-29.9.2. auf eine Baal-
Theophanie zurückzuführen. Verbunden mit der Hypothese von
der frühen Entstehungszeit von Ps 29 gelangte diese Auslegung
fast zwangsläufig zur Annahme, in diesem Text sei nur der Name
Baals durch den Jahwes ersetzt worden.[5]
     Wenn es auf diese Weise auch möglich war, den zeitlichen Ab-
stand zwischen den ug. Texten und Ps 29 auf ein Minimum zu re-

[1] Siehe Kap. 1 zu Anm. 14-18.
[2] Siehe z.B. F.M. Cross, BASOR 117 (1950), 19; A.S. Halkin, ErIs 14 (1978),
IX.
[3] Siehe B. Margulis, The Cannanite Origin of Psalm 29 Reconsidered, Bib 51
(1970), 332-348.
[4] P.C. Craigie, Psalms 1-50 (1983), 245; siehe auch ders., Ugarit and the Old
Testament (1983), 68-71.
[5] F.M. Cross, Notes on a Canaanite Psalm in the Old Testament, BASOR 117
(1950), 19-21; A. Fitzgerald, A Note on Psalm 29, BASOR 215 (1974), 61-
63.

duzieren, so geschah dies in Verbindung mit anderen Hypothesen
über den Aufbau des biblischen Liedes, die man gleichfalls als bewiesen oder im Lichte der neuen Konzeption als unerheblich be-
wertete. Denn bereits von H.L. Ginsberg wurde zu Beginn der von
den Ugarit-Texten her bestimmten Auslegung von Ps 29 aus der
Tradition ungeprüft die Anschauung übernommen, daß dieser
Psalm eine literarische Einheit sei. Die offensichtlichen Unstimmigkeiten in seinem kolometrischen Aufbau hat man im circulus vi-
tiosus-Verfahren als Besonderheit seines archaischen Charakters
gerechtfertigt.[6] Von diesem Ansatz her gelangten z.B. D.N. Freedman – C.F. Hyland zum Postulat, daß eine Strukturanalyse von
Ps 29 "not only supports the integrity of the present text but also
points to some complex and sophisticated techniques of Hebrew
poetry".[7] Selbst im Laufe der vorausgesetzten langen Überliefe-
rungszeit sei es nur zu minimalen, unbedeutenden Veränderungen
im Text gekommen. Ihr Urteil über den Text und seinen Erhal-
tungszustand lautet deshalb: "Variations from the norm can be
explained in the following ways: changes in the text and vocali-
zation from the time of composition until the final fixing of the
text, whether deliberate or accidental, and variations adopted by
the poet himself. The surviving structural symmetry shows that
none of these factors has seriously affected the text, in spite of
the long period of transmission. We may be confident that we have
the hymn substantially as it was composed for liturgical use in
early Israel."[8]
    Ein Vergleich von Ps 29 mit ug. Texten gibt jedoch leicht zu er-
kennen, daß der von H.L. Ginsberg, F.M. Cross, D.N. Freedman –
C.F. Hyland u.a. beschrittene Weg der kolometrischen Analyse die
offensichtlichen Störungen im Text nur unbefriedigend zu erklären vermag. W.F. Albright hat deshalb wohl trotz des von ihm
gleichfalls hervorgehobenen archaischen Charakters von Ps 29 betont[9], daß der Text verdorben sei und wir deshalb mit einem län-

[6] Siehe z.B. F.M. Cross, CMHE (1973), 151-156; D.N. Freedman – C.F. Hyland, Psalm 29: A Structural Analysis, HTR 66 (1973), 237-256.
[7] D.N. Freedman – C.F. Hyland, HTR 66 (1973), 237.
[8] D.N. Freedman – C.F. Hyland, HTR 66 (1973), 256.
[9] W.F. Albright, YGC (1968), 10.29.

geren Zeitraum zwischen seiner Entstehung und Endredaktion zu rechnen hätten.[10]

Es wurde somit durch diese Differenzen innerhalb der Albright-Schule deutlich, daß auch in den neuen Interpretationen von Ps 29 das seit langem behandelte Problem der Behebung der Unstimmigkeiten im Aufbau des Liedes durch Umstellungen nicht ohne weiteres als erledigt gelten konnte. E. Vogt hat diesem Gesichtspunkt in der Folge erneut Gewicht verschafft.[11]

Der nächste Schritt war von diesen Voraussetzungen her geradezu vorgezeichnet. Denn es lag nahe, die in der Diskussion unkritisch übernommene Hypothese von der Einheit des Textes auf eine Grundform zu reduzieren, die im Laufe der Zeit durch Zusätze und Glossen verdeckt und verdunkelt[12] oder einer umfangreichen Bearbeitung unterworfen worden sei.[13] K. Seybold charakterisiert die von ihm in die spätvorexilische Zeit datierte Umgestaltung des Psalms folgendermaßen: "Das alte litaneiartige Hymnusfragment wurde dann einer ziemlich umfangreichen Bearbeitung unterworfen, welche die poetische Struktur des Gedichts zerstört und die archaische Ikonographie des Gewitter-Gottes übermalt hat. Der Text wurde auf das Doppelte erweitert. Statt des Stils der akrostichischen Kette herrscht nun der normale Parallelismus membrorum. Vor allem ist irritierend, daß die Bearbeitung rein prosaische Sätze und Formen in das hochpoetische Gedicht hineinschreibt."[14]

Die Einheit des Textes bildet auch in der ganz anderen Bestimmung des Verhältnisses zwischen kanaanäischer Mythologie und Ps 29, in der mit einer Wiederbelebung alter Traditionen in nach-

---

[10] W.F. Albright, YGC (1968), 222: "In some Psalms such as 29, the text of which is very corrupt, it is quite impossible to tell what the date of the original composition may have been. I suspect that it passed through a number of different stages between Middle Bronze and its final redaction about the fifth (?) Century B.C."

[11] E. Vogt, Der Aufbau von Ps 29, Bib 41 (1960), 17-24.

[12] O. Loretz, Psalmenstudien III. 7. Psalm 29, UF 6 (1974), 191-195; S. Mittmann, Komposition und Redaktion von Psalm XXIX, VT 28 (1978), 172-194.

[13] K. Seybold, TZ 36 (1980), 208-219.

[14] K. Seybold, TZ 36 (1980), 213.

exilischer Zeit argumentiert wird, die für die Auslegung bestimmende Kategorie. Der Ausfall eines längeren Traditionsweges des Textes ermöglicht es den Vertretern dieser Anschauung, von einem ungestörten Aufbau des Liedes auszugehen.[15]

Ganz im Gegensatz zu den Versuchen, von dem Postulat der Texteinheit her Ps 29 zu deuten, steht grundsätzlich der Vorschlag, dieses Lied als Ergebnis einer Zusammenfügung von zwei Texten anzusehen. Dieser Konzeption zufolge besteht der Psalm aus einem Lied, das durch den Einschub von 29.3.1.-29.9.2. entstanden ist. Selbst in dieser Deutung kann das Verhältnis der Teile zueinander wieder als das einer liturgischen Einheit verstanden werden[16] oder als Einschub, der den ursprünglichen Zusammenhang von V. 1-2.9c zerreißt.[17]

Das Nebeneinander der El- und Baaltraditionen wurde von der Hypothese über die Einheit von Ps 29 her ebenfalls ganz unterschiedlich gelöst. Während die Vertreter der Frühdatierung und Verfechter einer kanaanäischen Vorlage oder Grundform von Ps 29 dieses Problem de facto ignoriert oder übergangen haben[18], verlagerten W.H. Schmidt[19] und C. Macholz[20] z.B. die Verschmelzung beider Traditionsstränge ins jebusitische oder israelitische Jerusalem. Gegen eine Vermischung von El- und Baal-Motiven hat sich in der Folge F. Stolz ausgesprochen, der annimmt, daß tatsächlich El der Gott der Gewittertheophanie in diesem Hymnus gewesen und daß er in dieser Charakteristik mit Jahwe identifiziert worden sei.[21]

---

[15] Siehe z.B. R.J. Tournay, El Salmo 29: estructura e interpretación, CiTo 106 (1979), 733-753.

[16] D. Gualandi, Salmo 29 (28), Bib 39 (1958), 478-485, unterscheidet zwischen den drei Teilen: Anfang der liturgischen Aktion im Tempel (V. 1-2), Theophanie des Herrn im Gewitter (V. 3-9b) und Schluß der Liturgie im Tempel (V. 9c-11) (a.a.O., S. 484).

[17] E. Lipiński, DBS 9 (1979), 18.

[18] Siehe z.B. F.M. Cross, CMHE (1973), 151-156; D.N. Freedman – C.F. Hyland, HTR 66 (1973), 237-256.

[19] W.F. Schmidt, Königtum (1966²), 55-58, "Die Verbindung von El- und Baal-Traditionen".

[20] C. Macholz, in: FS Westermann (1980), 328-329.

[21] F. Stolz, Strukturen (1970), 153-154.

Rückblickend wird insgesamt festzustellen sein, daß die neue
Möglichkeit eines Vergleichs von Ps 29 mit ug. Texten[22] in erster
Linie als Mittel zur Bestätigung der traditionellen Anschauungen
über die Einheit (integrity) des Textes angesehen und bei der
Mehrzahl der Autoren vor allem dem Ziel untergeordnet wurde,
Ps 29 zeitlich direkt an die ug. literarische Tradition anzuschlie-
ßen oder wenigstens ein frühes vorexilisches Datum zu sichern.
Das Gewicht der überlieferten Anschauungen über die Textein-
heit verhinderte den Blick auf die durch die Ugarit-Texte eröffne-
te Möglichkeit der Unterscheidung von Texten verschiedener Her-
kunft und die damit verbundene Einsicht, daß zwischen den ug.
Texten über Baal und Ps 29.3.1.-29.9.2. doch erhebliche formale
Differenzen bestehen, die einen längeren Traditionsprozeß wahrscheinlich machen. Ps 29 erweist sich so als ein Lied, in dem die
Baal-Motive mit anderen zu einer sekundären Einheit verschmolzen wurden. Die kolometrische Form der Beschreibung Baals im
Gewitter wiederum kann kaum mit der der ug. Baal-Texte zur
Deckung gebracht werden. Auch von dieser Seite her betrachtet
setzt Ps 29 einen längeren wohl israelitischen Werdeprozeß voraus,
der jedoch ohne kanaanäische Vorgeschichte undenkbar ist.

Von besonderer Bedeutsamkeit für die Interpretation von Ps
29 hat sich die Erkenntnis erwiesen, daß der Grundstock des Liedes mit 29.1.2.-29.2.2. + 29.9.3. gegeben ist und hier das Königs-
tum Gottes in ungestörtem Bestand geschildert wird. Die Königsherrschaft Jahwes erscheint als eine feststehende, gesicherte, von
keinem Feind bedrohte oder durch Niederringung eines Gegners
gewonnene Position. Es wurde zu Recht postuliert, daß diesem
Teil des Liedes eine El-Tradition zugrundeliegen müsse. Für diese
Auffassung spricht auch die Formulierung *bnj 'ljm* (V. 1).

Der Schlußteil 29.10.1.-29.11.2. ist in seiner ursprünglichen
Form den Baal-Jahwe-Texten über die Thronbesteigung zuzurechnen.[23] Dies ergibt jedoch kaum die Berechtigung, Ps 29 insgesamt
den Thronbesteigungspsalmen anzugliedern.[24]

[22] Siehe hierzu Kap. 12.2.
[23] Siehe z.B. H.L. Ginsberg, ACIO 19 (1935.38), 474-475; W.H. Schmidt,
Königtum (1966[2]), 54; siehe ferner E. Lipiński, La Royauté de Yahwé
(1968[2]), 394-397; vgl. auch S. Rummel, in: RSP 3 (1981), 233-236.

Wenn sich somit Ps 29 als ein Stück erweist, das aus der leben-
digen Fülle der nachexilischen Literaturüberlieferung entstanden
ist, wird auch begreifbar, daß dieser Schaffensprozeß in weiteren
Zusätzen und Glossen seine unmittelbare natürliche Fortsetzung
gefunden hat.

Die Geschichte der Interpretation von Ps 29 im Lichte der Ugarit-Texte zeigt erneut, daß ein jeder Vergleich von biblischen Texten mit ug. ein äußerst vielschichtiges Problem darstellt und bedingt durch das Übergewicht traditioneller Vorurteile über das Wesen eines biblisch-heiligen Textes die Gefahr besteht, daß neue
Möglichkeiten eines Textverständnisses nur zur Bestätigung alter
Vermutungen benützt werden.[25]

Trotz größter Differenzen im einzelnen und grundlegender Ver-
schiedenheit im methodologischen Ansatz wurde von allen Seiten
jedoch von Anfang an mit Dankbarkeit zur Kenntnis genommen,
daß die Ugarit-Texte einen wesentlichen Beitrag zur Aufhellung
des Hintergrundes und der Vorgeschichte von Ps 29 geleistet haben. Erst auf diesem Hintergrund wird das spezifisch israelitisch-
jüdische Element sichtbar, das Ps 29 von jeder kanaanäischen Tradition abhebt und zu einem unverwechselbaren Dokument des
nachexilischen Jahwismus stempelt.

[24] Zu den Thronbesteigungspsalmen rechnen Ps 29 u.a. S. Mowinckel, PIW
II (1967), 247; J. Gray, BDRG (1979), 39-42; siehe ferner Kap. 1 zu Anm.
34-35.
[25] R. Rendtorff, Zur Bedeutung des Kanons für eine Theologie des Alten Testaments, in: FS Kraus (1983), 3-11, betont, daß es angemessen wäre, das
Selbstverständnis des Alten Testaments in seiner kanonischen Form zum Maßstab einer Interpretation zu nehmen. Die Textgeschichte von Ps 29 zeigt jedenfalls, daß ein historisches Wachstum wohl kaum nur von seinem äußerli-
chen Endstadium her allein zu bewerten ist. In dem von R. Rendtorff befür-
worteten Interpretationssystem wird traditionellen Anschauungen über *den*
Text gegenüber historisch-philologischen ein Vorrang zugesprochen.

SIGLA UND ABKÜRZUNGEN

Zeichenerklärung

=   gleich, Gleichheit.

‡   ungleich, Ungleichheit.

/   1. In Umschriften steht / zwischen Varianten, z.B. *b/p*.

     2. In Jahresangaben steht z.b. 1974/75 verkürzend für 1974-1975.

     3. In Bandzahlen 1/2 = 1, Teil 2.

<>   Konsonanten im Original versehentlich ausgelassen.

//   parallel.

[]   sekundäre, eingefügte Texte; Glossen in he. Texten.

Angaben zur Kolometrie he. Texte

Kolon   Einzelne Kola werden mit Kapitel, Vers und Nummer des Kolons im Vers angegeben, z.B. Ps 29.2.2. = Ps 29, Vers 2, Kolon zwei.

Anzahl der Konsonanten in einem Kolon	Rechts von einem Kolon wird jeweils die Anzahl der Konsonanten desselben angegeben, um die parallelen Verhältnisse oder Disproportionen zwischen den Kola besser zu veranschaulichen, siehe hierzu UF 7 (1975), 265-279; zu Kolon, colon als der kleinsten poetischen Einheit siehe S. Segert, JAOS 103 (1983), 296-297.

Verzeichnis der Abkürzungen

A. Allgemeines

aB	altbabylonisch.
akk.	akkadisch.
althe.	althebräisch.
AT	Altes Testament.
E/ed.	siehe Hg.
G	Versio LXX interpretum Graeca.
he.	hebräisch
Hg.	Herausgeber.
MT	masoretischer Text.
PM	Parallelismus membrorum.
pi	Pi'el.

pol	Polel.
qal	Qal. Grundstamm.
S	Versio Syriaca.
u.a.	und and[e]re, und and[e]res, unter ander[e]m, unter ander[e]n.
ug.	ugaritisch.
z.B.	zum Beispiel.

B. zu Literaturzitaten

ACIO	Actes du ... congrès international des orientalistes.
AHw	Soden, W. von, Akkadisches Handwörterbuch I-III. Wiesbaden 1965/81.
AK	Jirku, A., Altorientalischer Kommentar zum Alten Testament. Leipzig-Erlangen 1923.
AOAT	Alter Orient und Altes Testament.
BASOR	Bulletin of the American Schools of Oriental Research.
BBB	Bonner Biblische Beiträge.
BDRG	Gray, J., The Biblical Doctrine of the Reign of God. Edinburgh 1979.
BETL	Bibliotheca ephemeridum theologicarum lovaniensium.
BHS	Biblia hebraica stuttgartensia. Stuttgart 1967/77.
Bib	Biblica.
BiO	Bibbia e Oriente.
BJPES	Bulletin of the Jewish Palestine Exploration Society.
BJV	Berliner Jahrbuch für Vor- und Frühgeschichte.
BK	Biblischer Kommentar. Altes Testament. Neukirchen-Vluyn.
BWANT	Beiträge zur Wissenschaft vom Alten und Neuen Testament.
BZ	Biblische Zeitschrift.
BZAW	Beihefte zur Zeitschrift für die alttestamentliche Wissenschaft.
CAD	Assyrian Dictionary of the Oriental Institute of the University of Chicago.
CB	Coniectanea biblica. Old Testament Series.
CBQ	Catholic Biblical Quarterly.
CiTo	Ciencia Tomista.
CMHE	Cross, F.M., Canaanite Myth and Hebrew Epic. Essays in the History of the Religion of Israel. Cambridge, Mass. 1973.
CML	Driver, G.R., Canaanite Myths and Legends. Edinburgh 1956.
DBS	Dictionnaire de la Bible. Supplément.
EdF	Erträge der Forschung. Darmstadt.
Ee	Enūma eliš, siehe AHw I, S. XII.
ErIs	Eretz Israel.

EstBib	Estudios biblicos.
ETL	Ephemerides theologicae lovanienses.
FRLANT	Forschungen zur Religion und Literatur des Alten und Neuen Testaments.
FS Junker	Groß, H., — Mußner, F., Hg., Lex tua veritas. Festschrift für Hubert Junker zur Vollendung des siebzigsten Lebensjahres am 8. August 1961. Trier 1961.
FS Kraus	Geyer, H.-G., Schmidt, J.M., Schneider, W., Weinrich, M., Hg., "Wenn nicht jetzt, wann dann?" Aufsätze für Hans—Joachim Kraus zum 65. Geburtstag, Neukirchen-Vluyn 1983.

FS Rendtorff — Sefer Rendtorff. Festschrift zum 50. Geburtstag von Rolf Rendtorff. Im Auftrag der Autoren hg. von Konrad Rupprecht. Dielheimer Blätter zum Alten Testament. Beiheft 1. Dielheim 1975.

FS Westermann — Albertz, R., u.a., Hg., Werden und Wirken des Alten Testaments. Festschrift für Claus Westermann zum 70. Geburtstag. Göttingen - Neukirchen-Vluyn 1980.

HAL	Koehler, L. — Baumgartner, W., Hebräisches und aramäisches Lexikon zum Alten Testament. Lieferung I-III. Leiden 1974/84[3].
HSM	Harvard Semitic Monographs.
HTR	Harvard Theological Review.
HUCA	Hebrew Union College Annual.
JANES	Journal of the Ancient Near Eastern Society of Columbia University.
JAOS	Journal of the American Oriental Society.
JBL	Journal of Biblical Literature.
JNES	Journal of Near Eastern Studies.
JNSL	Journal of North-West Semitic Languages.
JQR	Jewish Quarterly Review.
JTS	Journal of Theological Studies.
KAT	Schrader E., Die Keilinschriften und das Alte Testament. Dritte Auflage neue, bearbeitet von H. Zimmern und H. Winckler. Berlin 1903.
KTU	Dietrich, M., Loretz, O., Sanmartín, z., Die keilalphabetischen Texte aus Ugarit. AOAT 24/1.1976.
LdÄ	Lexikon der Ägyptologie.
MLC	Del Olmo Lete, G., Mitos y leyendas de Canaan según la tradición de Ugarit. Madrid 1981.
MLE	Materiali lessicali ed epigrafici.
MVA(e)G	Mitteilungen der Vorderasiatisch(ab 1922 - Ägytisch)en Gesellschaft.

NTT	Nederlands Theologisch Tijdschrift.
OBL	Orientalia et biblica lovaniensia.
OBO	Orbis biblicus et orientalis.
OGL	Ons Geestelijk Leven.
OLZ	Orientalistische Literaturzeitung.
Or	Orientalia.
OTS	Oudtestamentische Studiën.
PIW	Mowinckel, S., The Psalms in Israel's Worship I-II. Oxford 1962.
POTW	Proceedings of the ... meeting of "Die Ou-Testamentiese Werkgemeenskap in Suid-Afrika".
PPP	Freedman, D.N., Pottery, Poetry, and Prophecy. Studies in Early Hebrew Poetry. Winona Lake, Indiana 1980.
RAAM	Gese, H., Höfner, M., Rudolph, K., Die Religionen Altsyriens, Altarabiens und der Mandäer. Stuttgart usw. 1970.
RlA	Reallexikon der Assyriologie.
RSP	Ras Shamra Parallels I-III. Analecta orientalia 49/51. 1972/81.
SBFLA	Studi biblici franciscani liber annuus.
SEL	Studi epigrafici e linguistici. Verona.
SFHDI	Crüsemann, F., Studien zur Formgeschichte von Hymnus und Danklied in Israel. WMANT 32.1969.
SKAI	Johnson, A.R., Sacral Kingship in Ancient Israel. Cardiff 1967[2].
SPDS	Ishida, T., Ed., Studies in the Period of David and Solomon and other Essays. Papers Read at the International Symposium for Biblical Studies, Tokyo, 5-7 December, 1979. Tokyo 1982.
Syria	Syria. Revue d'art oriental et d'archéologie.
THAT	Theologisches Handwörterbuch zum Alten Testament, I-II. München usw. 1971/76.
ThB	Theologische Bücherei. München.
ThR	Theologische Rundschau.
ThSt	Theologische Studien. Zürich.
TWAT	Theologisches Wörterbuch zum Alten Testament. Stuttgart.
TZ	Theologische Zeitschrift. Basel.
UBL	Ugaritisch-biblische Literatur. Altenberge.
UF	Ugarit-Forschungen.
UT	Gordon, C.H., Ugaritic Textbook. Roma 1965.
VAB	Vorderasiatische Bibliothek.
VT	Vetus Testamentum.
VTS	Vetus Testamentum. Supplements.
WdF	Wege der Forschung. Darmstadt.
WMANT	Wissenschaftliche Monographien zum Alten und Neuen Testament.

YGC	Albright, W.F., Yahweh and the Gods of Canaan. London 1968.
ZAW	Zeitschrift für die alttestamentliche Wissenschaft.
ZDPV	Zeitschrift des Deutschen Palästina-Vereins.
ZkT	Zeitschrift für katholische Theologie.
ZNP	Neumann, P.H.W. Hg., Zur neueren Psalmenforschung. Darmstadt 1976.
ZS	Zeitschrift für Semitistik und verwandte Gebiete.

C. Bücher des AT

Gen/Ex/Lev/Num/Dtn/Jos/Jdc/I-II Sam/I-II Reg/Jes/Jer/Ez/Jer/
Ez/Hos/Joel/Am/Ob/Jon/Mi/Nah/Hab/Zeph/Hag/Sach/Mal/Ps/
Hi/Prov/Ruth/Cant/Koh/Thr/Est/Dan/Esr/Neh/ I-II Chr/Sir

Transkription he. Wörter

Konsonanten: ' b g d h w z ḥ ṭ j k l m n s ' p ṣ q r ś š t

Transkription ug. Wörter[1] :

a i u b g d ḏ h w z ḥ ḫ t ẓ y k l m n s š ' ǵ p ṣ q r š t ṯ

---

[1] Siehe C.H. Gordon, UT § 3.3., der jedoch š mit s̀ transkribiert.

Bibliographie

Albertz, R., Hintergrund und Bedeutung des Elterngebots im Dekalog, ZAW 90(1978), 348-378.

Albright, W.F., Rez. zu L. Dürr, Die Wertung des göttlichen Wortes im Alten Testament und im antiken Orient (1938), JBL 60(1941), 205-208. (S. 208: Ps 29).

—, The Old Testament and Canaanite Language and Literature, CBQ 7(1945), 5-31.(S. 28-29: Ps 29).

—, Die Religion Israels im Lichte der archäologischen Ausgrabungen. Basel 1956.(S. 34.146: Ps 29).

—, Yahweh and the Gods of Canaan. London 1968. Zitiert: YGC.

Alexander, J.A., The Psalms. Grand Rapids, Michigan 1975.

Anderson, A.A., The Book of Psalms. New Century Bible I-II. London 1972.

Auffret, P., Notes conjointes sur la structure littéraire de Ps 114 46 29, EstBib 37(1978), 103-113.(S. 108-111: II. Structure du psaume 29).

Baethgen, F., Die Psalmen. Göttingen 1897².

Barr, J., Comparative Philology and the Text of the Old Testament. Oxford 1968.

Baumgartner, W., Ras Schamra und das Alte Testament II, ThR 13(1941), 1-20.85-102.157-183.(S. 11: Ps 29).

Beaucamp, E., Psaumes II. Le Psautier, DBS 9(1979), 125-206.

Begrich, J., Mabbûl. Eine exegetisch-lexikalische Studie, ZS 6(1928), 135-153 = Gesammelte Studien zum Alten Testament. ThB 21.1964, 39-54.

Bertholet, A., Die Psalmen, in: Die Heilige Schrift des Alten Testaments II. Tübingen 1923⁴, 113-276.(S. 151: Ps 29).

Boer, P.A.H. de, Cantate Domino: An Erroneous Dative? OTS 21(1981), 55-67.(S. 66 Anm. 3: Ps 29,1).

Bonkamp, B., Die Psalmen nach dem hebräischen Grundtext. Freiburg i.Br. 1949.

Briggs, C.A., The Book of Psalms I-II. Edinburgh 1906.

Brown, J.P., The Lebanon and Phoenicia: Ancient Texts Illustrating the Physical Geography and Native Industries. I. The Physical Setting and the Forest. Beirut 1969.(S. 115-117: Ps 29).

Bruno, A., Der Rhythmus der alttestamentlichen Dichtung. Eine Untersuchung über die Psalmen I-LXXII. Leipzig 1930.

Budde, K., Die schönsten Psalmen. Leipzig 1915.

Butler, T.C., "The Song of the Sea": Exodus 15:1-18: A Study in the Exegesis of Hebrew Poetry. Vanderbilt University, Ph.D. 1971.

Caquot, A., "In splendoribus sanctorum", Syria 33(1956), 36-41.

Cassin, E., La Splendeur divine. Introduction à l'étude de la mentalité mésopotamienne. Paris 1968.

Cassuto, U., The Goddess Anath. Jerusalem 1971.

Cazelles, H., Une relecture du psaume XXIX?, in: A la rencontre de Dieu. Mémorial Albert Gelin. Le Puy 1961, 119-128.

Chajes, H.P., Ps. XXIX. 9, OLZ 5(1902), 209.

Cheyne, T.K., The Origin and Religious Contents of the Psalter in the Light of Old Testament Criticism and the History of Religions. London 1891.

—, The Book of Psalms I. London 1904.

Claudel, P., Commentaire sur le Psaume 28, Vie Intérieure 46(1936), 9-39.

Cooper, A., Divine Names and Epithets in the Ugaritic Texts, in: RSP 3 (1981), 333-469.

Coppens, J., La royauté de Yahwé dans le Psautier, 4. Le Psaume XXIX, ETL 53(1977), 317-321.

—, La royauté, le règne, le royaume de Dieu cadre de la relève apocalyptique. BETL 50.1979.(S. 110-114: Ps 29).

Craigie, P.C., Psalm XXIX in the Hebrew Poetic Tradition, VT 22(1972), 143-151.

—, Parallel Word Pairs in Ugaritic Poetry: A Critical Evaluation of Their Relevance for Psalm 29, UF 11(1979), 135-140.

—, Psalms 1-50. World Biblical Commentary. Vol. 19. Waco, Texas 1983.

—, Ugarit and the Old Testament. Grand Rapids, Michigan 1983.(S. 68-71: V.1. Psalm 29 and the Canaanite Hymnbook).

Cross, F.M., Notes on a Canaanite Psalm in the Old Testament, BASOR 117 (1950), 19-21.

—, Canaanite Myth and Hebrew Epic. Essays in the History of the Religion of Israel. Cambridge, Mass. 1973. Zitiert: CMHE.(S. 151-156: Ps 29).

Crüsemann, F., Studien zur Formgeschichte von Hymnus und Danklied in Israel. WMANT 32.1969. Zitiert: SFHDI.

Cumming, C.G., The Assyrian and Hebrew Hymns of Praise. New York 1934. (S. 109-110.128-129.149: Ps 29).

Cunchillos, J.L., Estudio del Salmo 29. Canto al Dios de la fertilidad-fecundidad. Aportación al conocimiento de la Fe de Israel a su entrada en Canaan. Valencia 1976.

Curtis, A.H.W., The "Subjugation of the Waters" Motif in the Psalms; Imagery of Polemic? JSS 23(1978), 245-256.

Dahood, M., Rez. zu H.-J. Kraus, Psalmen (1958/60), Bib 42(1961), 383-385. (S. 383: Ps 29,9c).

—, Hebrew-Ugaritic Lexicography I, Bib 44(1963), 289-303. (S. 296: Ps 29,9).

—, Psalms I.1-50. The Anchor Bible. Vol. 16. Garden City, New York 1965.

—, Rez. zu Ugaritica V(1968), Or 39(1970), 375-379.

—, Ugaritic-Hebrew Parallel Pairs, in: RSP 3(1981), 1-178.(S. 19: Ps 29,1; S.

96: Ps 29,6).

Day, J., Echoes of Baal's seven thunders and lightnings in Psalm XXIX and Habakuk III 9 and the identity of the Seraphim in Isaiah VI, VT 29(1979), 143-151.

Deißler, A., Zur Datierung und Situierung der "kosmischen Hymnen" Pss 8 19 29, in: FS Junker (1961), 47-58.(S. 52-58: Ps 29).

—, Die Psalmen. Düsseldorf 1964.

Del Olmo Lete, G., Mitos y leyendas de Canaan según la tradición de Ugarit. Madrid 1981. Zitiert: MLC.

Delcor, M., Les allusions à Alexandre le Grand dans Zach IX 1-9, VT 1(1951), 110-124.

Delitzsch, F., Die Psalmen. Leipzig 1883[4].

Denk, J., Eine indische Parallele zu Psalm 28(29), 9 und Pseudo-Augustins Speculum, ZkT 34(1910), 220-227.

Dhorme, E., Les Psaumes. La Bible. L'Ancien Testament II. Bibliothèque de la Pléîade. Vol. 139. Paris 1959,891-1220.

Dohmen, C., Ps 19 und sein altorientalischer Hintergrund, Bib 64(1983), 507-517.

Dietrich, M. — Loretz, O., Das ug. Nomen d(h)rt "Traum, nächtliches Gesicht"(?), SEL 1(1984), 85-88.

Donner, H., Ugaritismen in der Psalmenforschung, ZAW 79(1967), 322-350. (S. 331-333: Ps 29,2).

Driver, G.R., Studies in the Vocabulary of the Old Testament II., JTS 32 (1930/31), 250-257.

—, Canaanite Myths and Legends. Edinburgh 1956.

Dürr, L., Die Wertung des göttlichen Wortes im Alten Testament und im antiken Orient. MVAeG 42,1.1938.

Duhm, B., Die Psalmen. Tübingen 1899.1922[2].

Eerdmans, B.D., The Hebrew Book of Psalms. OTS 4(1947).(S. 197-199: Ps 29).

Ewald, H., Die Psalmen. Die poetischen Bücher des Alten Bundes. Zweiter Teil. Göttingen 1840[2]. (S. 21-25: Ps 29).

Faulhaber, M., Psalm 29(28) — ein Gerichtspsalm, BZ 2(1904), 260-274.

Fensham, F.C., Psalm 29 and Ugarit, POTW 6(1963), 84-99.

—, The Use of the Suffix Conjugation and the Prefix Conjugation in a Few Old Hebrew Poems, JNSL 6(1978), 9-18.

Fitzgerald, A., A Note on Psalm 29, BASOR 215(1974), 61-63.

Foley, C.M., The Gracious Gods and the Royal Ideology of Ugarit. McMaster University, Ph.D. 1980.

Fraine, J. de, "Entmythologisierung" dans les psaumes, in: R. De Langhe, ed., Le Psautier. OBL 4.1962,89-106. (S. 97: Ps 29).

Freedman, D.N., Divine Names and Titles in Early Hebrew Poetry (1976) = PPP (1980), 77-129.(S. 82-85: Ps 29).

—, — Hyland, C.F. Psalm 29: A Structural Analysis, HTR 66(1973), 237-256.

Fullerton, K., The Strophe in Hebrew Poetry and Psalm 29, JBL 48(1929), 274-290.

Gaster, T.H., Psalm 29, JQR 37(1946/47), 55-65.

—, Myth, Legend, and Custom in the Old Testament. New York - Evanston 1969. Zitiert: Myth. (S. 747-751: A Canaanite Psalm?).

—, Thespis. Ritual, Myth, and Drama in the Ancient Near East. New York 1975[2]. (S. 443-446: Ps 29).

Gese, H., Die Religionen Altsyriens, in: RAAM.1970, 1-232.

Ginsberg, H.L., A Phoenician Hymn in the Psalter, ACIO 19(1935.1938), 472-476.

—, The Rebellion and Death of Ba'lu, Or 5(1936), 161-198.(S. 180-181: Addenda zu Ps 29,1.5.7.8.10).

—, The Ugarit Texts (Kitve ugarit). Jerusalem 1936.(S. 129-131: Ps 29).

—, An Ancient Name of the Syrian Desert, BJPES 6/2(1938/39), 39. III.

—, The Ugaritic Texts and Textual Criticism, JBL 62(1943), 109-115.

—, A Strand in the Cord of Hebraic Hymnody, ErIs 9(1969), 45-50.(S. 45-46: Stage one: Psalm 29).

—, Ugaritico-Phoenicia, JANES 5(1973), 131-147.

Gonsalez, A., Le Psaume LXXXII, VT 13(1963), 285-309.

Gray, J., The Biblical Doctrine of the Reign of God. Edinburgh 1979. Zitiert: BDRG.

Greßmann, H., Altorientalische Texte und Bilder zum Alten Testament II. Tübingen 1909.

—, Altorientalische Bilder zum Alten Testament. Berlin - Leipzig 1927[2].

Groß, W., Verbform + Funktion. wayyiqtol für die Gegenwart. St. Ottilien 1976.(S. 93-99: Ps 29).

Groß, H. — Reinelt, H., Das Buch der Psalmen. Teil I (Ps 1-72). Düsseldorf 1978.

Gualandi, D., Salmo 29(28), Bib 39(1958), 478-485.

Gunkel, H., Die Psalmen, Göttingen 1892.1929[4].

—, Einleitung in die Psalmen. Göttingen 1933.

Haag, H., Jerusalemer Profanbauten in den Psalmen, ZDPV 93(1977), 87-96.

Halkin, A.S., H.L. Ginsberg — An Appreciation, ErIs 14(1978), IX-XII.

Hanson, P.D., The Dawn of Apocalyptic. Philadelphia 1975.(S. 305-307: Ps 29).

Held, M., The YQTL-QTL (QTL-YQTL) Sequence of Identical Verbs in Biblical Hebrew and in Ugaritic, in: Studies and Essays in Honor of Abraham A. Neuman. Leiden 1962, 281-290.

—, Philological Notes on the Mari Covenant Rituals, BASOR 200(1970), 32-40.

Herkenne, H., Das Buch der Psalmen. Bonn 1936.

Hoßfeld, F.-L., Der Dekalog. Seine späteren Fassungen, die originale Komposition und seine Vorstufen. OBO 45.1982.

Houtman, C., De Hemel in Het Oude Testament. Amsterdam 1974.

Hummel, H.D., Enclitic *mem* in Early Northwest Semitic, Especially Hebrew, JBL 76(1957), 85-107.(S. 93: Ps 29,6).

Hupfeld, H., Die Psalmen. Für die dritte Auflage bearbeitet von W. Nowack. Gotha 1888[3].

Hyland, C.F., siehe Freedman, D.N. — Hyland, C.F.

Ijlst, P., God, door wie alles leeft. Over Psalm 8 en 29, OGL 44(1964), 193-200.

Ikeda, Y., Hermon, Sirion and Senir, Annual of the Japanese Biblical Institute 9(1978), 32-44.

Jacquet, L., Les Psaumes et le coeur de l'homme. Psaumes 1-41; 42-100; 101-150 [o.O.] 1975/79. Zitiert: Psaumes I-III.

Janowski, B., Sühne als Heilsgeschehen. WMANT 55.1982.

Jeremias, A., Handbuch der altorientalischen Geisteskultur. Berlin - Leipzig 1929[2].

Jeremias, J., Theophanie. Die Geschichte einer alttestamentlichen Gattung. WMANT 10.1977[2].

Jirku, A., Altorientalischer Kommentar zum Alten Testament. Leipzig - Erlangen 1923.(S. 225: Ps 29,1-11).

Johnson, A.R., Sacral Kingship in Ancient Israel. Cardiff 1967[2]. Zitiert: SKAI. (S. 62-64: Ps 29).

Kaiser, O., Die mythische Bedeutung des Meeres in Ägypten, Ugarit und Israel. BZAW 78.1962[2].

Kapelrud, A.S., The Ugaritic Text 24.252 and King David, JNSL 3(1974), 35-39 = God and His Friends in the Old Testament. Oslo 1979,198-202.

Keel, O., Die Welt der altorientalischen Bildsymbolik und das Alte Testament. Am Beispiel der Psalmen. Zürich usw. 1972.

Keßler, H., Die Psalmen. München 1899[2].

Kidner, D., Psalms 1-72. The Tyndale Old Testament Commentaries. London 1973.

King, L.W., Babylonian Boundary-Stones and Memorial Tablets in the British Museum. London 1912.

Kissane, E.J., The Book of Psalms. Dublin 1964.

Kittel, R., Die Psalmen. Leipzig 1914[1-2].

König, E., Die Psalmen. Gütersloh 1927.

Kraus, H.-J., Psalmen. BK XV/1-2. Neukirchen-Vluyn 1978⁵. Zitiert: Psalmen I-II.

—, Theologie der Psalmen. BK XV/3.1979.

Kugel, J.L., The Idea of Biblical Poetry. New Haven - London 1981.

Lambert, W.G., Himmel, RlA 4(1972/75), 411-412.

—, The Cosmology of Sumer and Babylon, in: Blacke, C. — Loewe, M., Ancient Cosmologies. London 1975, 42-62.

Landersdorfer, S., Die Psalmen. Regensburg 1922.

Leslie, E.A., The Psalms. Nashville N.Y. 1949.

Lipiński, E., La royauté de Yahwé dans la poésie et le culte de l'Ancien Testament. Brussel 1968².

—, Psaumes.-I. Formes et genres littéraires, DBS 9(1979), 1-125.

Lods, A., Bemerkung zu H.L. Ginsberg, A Phoenician Hymn in the Psalter, ACIO 19(1935.1938), 476.

Loewenstamm, S.E., The Expanded Colon in Ugaritic and Biblical Verse, AOAT 204.1980,281-309.

—, The Expanded Colon, reconsidered, AOAT 204.1980,496-502.

—, "The Lord is my Strength and my Glory", AOAT 204.1980,333-340.

—, The Trembling of Nature during the Theophany, AOAT 204.1980,173-189.

—, A Ugaritic Hymn in Honour of Il, AOAT 204.1980,320-332.

—, Die Wasser der biblischen Sintflut: ihr Hereinbrechen und ihr Verschwinden, VT 34(1984), 179-194.

Lohfink, N., Das Weihnachtsgeheimnis in Vorbild und Erfüllung. Betrachtungen über Ps 29, Geist und Leben 30(1957), 461-466.

Loretz, O., Psalmenstudien III.4. hdrt qdš (Ps 29,2) und ug. hdrt (CTA 14 III 155).7. Psalm 29, UF 6(1974), 185-186.191-195.

—, Die Psalmen. Teil II. Beitrag der Ugarit-Texte zum Verständnis von Kolometrie und Textologie der Psalmen. Psalm 90-150. AOAT 207/2.1979.

—, Schilfmeer- und Mirjamlied (Exodus 15,1b-18.21). Vom kanaanäischen Mythos zur jüdischen Historiographie. UBL 3 (im Druck).

—, siehe Dietrich, M.-Loretz, O.

Maag, V., Hiob. Wandlung und Verarbeitung des Problems in Novelle, Dialogdichtung und Spätfassungen. FRLANT 128.1982.

Macholz, C., Psalm 29 und 1. Könige 19. Jahwes und Baals Theophanie, in: FS Westermann (1980), 325-333.

Maggioni, B., Osservazioni sul Salmo 29(28), 'Afferte Domino', BiO 7(1965), 245-251.

Magne, J., Répétitions de mots et exégèse dans quelques psaumes et le Pater, Bib 39(1958), 192-194.

Margulis, B., The Canaanite Origin of Psalm 29 Reconsidered, Bib 51(1970), 332-348.

May, M., Some Cosmic Connotations of *Mayim rabbîm*, "Many Waters", JBL 74(1955), 9-21.

McKay, J.W., Psalms 1-50. The Cambridge Bible Commentary. Cambridge 1977.

Mettinger, T.N.D., The Dethronement of Sabaoth. Studies in the Shem and Kabod Theologies. CB 18.1982.

—, YHWH SABAOTH — The Heavenly King on the Cherubim Throne, in: SPDS (1982), 109-138.

Metzger, M., Himmlische und irdische Wohnstatt Jahwes, UF 2(1970), 139-158.

Miller, A., Die Psalmen. Ecclesia orans Bd. 5. Freiburg 1923.

Mittmann, S., Komposition und Redaktion von Psalm XXIX, VT 28(1978), 172-194.

Möller, H., Strophenbau der Psalmen, ZAW 50(1932), 240-256.

Moor, J.C. de, New Year with Canaanites and Israelites I. Kampen 1972.

—, Uw God is mijn God. Kampen 1983.

Morgenstern, J., The Mythological Background of Psalm 82, HUCA 14(1939), 29-216. (S. 39 Anm. 22: Ps 29).

Mowinckel, S., Psalmenstudien II. Das Thronbesteigungsfest Jahwäs und der Ursprung der Eschatologie. Oslo 1922.

—, Psalmenkritik zwischen 1900 und 1935. Ugarit und die Psalmenexegese [= Psalm Criticism between 1900 and 1935 (Ugarit and Psalm Exegesis), VT 5(1955), 13-33], in: Neumann P.H.A., Hg., ZNP. WdF 192.1976,315-340.

—, The Psalms in Israel's Worship I-II. Oxford 1962. Zitiert: PIW.

Mullen, E.T. Jr., The Assembly of the Gods. The Divine Council in Canaanite and Early Hebrew Literature. HSM 24.1980. (S. 109-201: Ps 29).

Neuberg, F.J., Ugaritic and the Book of Isaiah. Johns Hopkins, Ph.D. 1950. (S. 54: Ps 29).

O'Connor, M., Hebrew Verse Structure. Winona Lake, Indiana 1980.

Oesterley, W.O.E., The Psalms. London 1939.

Ogara, F., Vox Domini in virtute; vox Domini in magnificentia, Ps 28(29), VD 17(1937), 140-145.

Ohler, A., Mythologische Elemente im Alten Testament. Düsseldorf 1969.

Orlinsky, H.M., *Hā-rōqdîm* for *hā-reqîm* in II Samuel 6,20, JBL 65(1946), 25-35.

Patton, J.H., Canaanite Parallels in the Book of Psalms. Baltimore 1944. (S. 16.19.23: Ps 29).

Pax, E., Studien zur Theologie von Psalm 29, BZ 6(1962), 93-100.

Perles, F., Babylonisch-biblische Glossen, OLZ 8(1905), 125-129. (S. 127: *hdrt qdš* Ps 29,2).

Perowne, J.J.S., The Book of Psalms. Cambridge 1880.

Peters, C., Hebräisches *qôl* als Interjektion, Bib 20(1939), 288-293.

Petersen, C., Mythos im Alten Testament. BZAW 157.1982.

Ploeg, J.P.M. van der, Psalmen I-II. Roermond 1973/74.

Podechard, E., Le Psautier I. Psaumes 1-75. Lyon 1949.

Pope, M.H., El in the Ugaritic Texts. VTS 2.1955. Zitiert: El.

—, — Tigay, J.H., A Description of Baal, UF 3(1971), 117-130.

Preuß, H.D., Verspottung fremder Religionen im Alten Testament. BWANT 92.1971.

Rad, G. von, Theologie des Alten Testaments I-II. München 1962[4].

Rashid, S.A., Zur Sonnentafel von Sippar, BJV 7(1967), 297-309.

Ravasi, G., Il libro dei Salmi I. Bologna 1981.

Reinelt, H., siehe Groß, H. — Reinelt, H.

Rendtorff, R., Die Offenbarungsvorstellungen im Alten Israel (1961) = Gesammelte Studien zum Alten Testament. ThB 57.1975,39-59.

—, El, Ba'al und Jahwe. Erwägungen zum Verhältnis von kanaanäischer und israelitischer Religion, ZAW 78(1966), 277-292.

—, Das Alte Testament. Eine Einführung. Neukirchen-Vluyn 1983. (S. 262: Ps 29).

—, Zur Bedeutung des Kanons für eine Theologie des Alten Testaments, in: FS Kraus (1983), 3-11.

Ridderbos, J., De Psalmen I-II. Kampen 1955/58.

Ridderbos, Nic, H., Die Psalmen. BZAW 117.1972.

Robert, A., Littéraires (genres), DBS 5(1957), 405-421.(Sp. 416: Ps XXIX).

Rummel, S., Narrative Structures in the Ugaritic Texts, in: RSP 3(1981), 221-332.(S. 263.264.267: Ps 29).

Sabourin, L., The Psalms. New York 1974.

Sanmartín, J., Semantisches über *'mr*/"Sehen" und *'mr*/"Sagen" im Ugaritischen, UF 5(1973), 263-270.

Scharbert, J., Der Schmerz im Alten Testament. BBB 8.1955.(S. 22-23: Ps 29,9).

Schildenberger, J., Psalm 29. Ein Hymnus auf den machtvollen Gott zu Beginn eines neuen Jahres, Erbe und Auftrag 57(1981), 5-12.

Schlißke, W., Gottessöhne und Gottessohn im Alten Testament. BWANT 97. 1973.

Schmidt, H., Die Psalmen. Tübingen 1934.

Schmidt, W.H., Königtum Gottes in Ugarit und Israel. Zur Herkunft der Königsprädikationen Jahwes. BZAW 80.1966[2].

—, Exodus, Sinai und Mose. EdF 191.1983.

Schulz, H., Das Buch Nahum. BZAW 129.1973.

Schwab, R., Siehe Tournay, R. – Schwab, R.

Schwarzenbach, A., Die geographische Terminologie im Hebräischen des Alten Testamentes. Leiden 1954.

Seeligmann, I.L., A Psalm from Pre-Regal Times, VT 14(1964), 75-92.

Segert, S., Parallelism in Ugaritic Poetry, JAOS 103(1983), 295-306.

Seybold, K., Zur Redaktionsgeschichte des 29. Psalms (unveröffentlicht, als Referat vorgetragen vor der alttestamentlichen Sektion der Wissenschaftlichen Gesellschaft für Theologie in Göttingen, 1979), siehe: TZ 36(1980), 209-210 Anm. 2.

–, Die Geschichte des 29. Psalms und ihre theologische Bedeutung, TZ 36 (1980), 208-219.

Slotki, I.W., The Metre and Text of Ps XXIX.3,4,9 and Ezechiel 1,21, JTS 31 (1930), 186-189.

Stadelmann, R., Syrisch-palästinensische Gottheiten in Ägypten. Leiden 1967.

–, Baal, LdÄ 1(1975), 590-591.

Staerk, W., Lyrik (Psalmen, Hoheslied und Verwandtes). Die Schrift des Alten Testaments. 3. Abteilung. 1. Band. Göttingen 1920[2]. (S. 77-79: Ps 29).

Stamm, J.J., Ein Vierteljahrhundert Psalmenforschung, ThR 23(1955), 1-68. (S. 28: Ps 29).

Stenmans, mbwl, TWAT IV, Lieferung 5(1983), 637.

Stolz, F., Strukturen und Figuren im Kult von Jerusalem. BZAW 118. 1970. (S. 152-155: Ps 29).

–, Funktionen und Bedeutungsbereiche des ugaritischen Baʿalsmythos, in: J. Assmann, W. Burkert, F. Stolz, Funktionen und Leistungen des Mythos. Drei altorientalische Beispiele. OBO 48.1982, 83-114.

–, Psalmen im nachkultischen Raum. ThSt 129.1983.

Stolz, J., Überlegungen anläßlich Ug V 3 rev 6-8, in: FS Rendtorff (1975), 113-129.

Strauß, H., Zur Auslegung von Ps 29 auf dem Hintergrund seiner kanaanäischen Bezüge, ZAW 82(1970), 91-102.

Stummer, F., Sumerisch-akkadische Parallelen zum Aufbau alttestamentlicher Psalmen. Paderborn 1922.(S. 141-142: Ps 29).

Taylor, W.R., The Book of Psalms. The Interpreter's Bible. Vol. IV. New York usw. 1955.

Testa, E., Un inno predavidico: il Salmo 29, SBFLA 28(1978), 60-72.

Tigay, J.H., siehe Pope, M.H. – Tigay, J.H.

Tournay, R.(-J.), Les psaumes complexes(1), RB 55(1949), 37-60.

–, En marges d'une traduction des psaumes.II.2. Psaume XXIX, 3 46 9, RB 63(1956), 173-181.

–, Logos I. La parole divine dans l'Ancien Orient, DBS 5(1957), 425-434.

—, Recherches sur la chronologie des psaumes, RB 65(1958), 321-357.

—, Le Psaume VIII et la doctrine biblique du nom, RB 78(1971), 18-30.

—, Rez. zu D.A. Robertson, Linguistic Evidence in Dating Early Hebrew Poetry (1972), RB 81(1974), 463-564.(S. 463-464: Ps 29,6).

—, El Salmo 29: estructura y interpretación, CiTo 106(1979), 733-753.

—, Schwab, R., Les Psaumes. La Sainte Bible de Jérusalem. Vol. 16. Paris 1955².

Tsevat, M., God and the Gods in Assembly. An Interpretation of Psalm 82, HUCA 40/41(1969/70), 123-137 = The Meaning of the Book of Job and Other Biblical Studies. Essays on the Literature and Religion of the Hebrew Bible. New York 1980,131-147.

Uchelen, N.A. van, Psalmen. Deel I(1-40). De Prediking von Het Oude Testament. Nijkerk 1971.

Viganò, L., Nomi e titoli die YHWH alle luce del semitico del Nordovest. Biblica et orientalia 31. Rome 1976.

Vogt, E., Der Aufbau von Ps 29, Bib 41(1960), 17-24.

Warmuth, G., *hdr*, TWAT 2(1977), 357-363.

Watts, J.D.W., Yahweh Mālak Psalms, TZ 21(1965), 341-348.

Weiser, A., Die Psalmen I. Psalm 1-60. Das Alte Testament Deutsch. Bd. 14. 1973⁸.

Wellhausen, J., The Book of Psalms. Leipzig usw. 1895.

—, The Book of Psalms. A New English Translation. Stuttgart usw. 1898.

Westermann, C., *kbd* "schwer sein", THAT 1(1971), 794-811. (Sp. 803-804: Ps 29).

Wette, W.M.L. de, Commentar über die Psalmen. Heidelberg 1856⁵.

Wutz, F., Die Psalmen. München 1925.

Xella, P., QDŠ. Semantica del "sacro" ad Ugarit, MLE 1(1982), 9-17.

Zijl, P.J. van, Baal, A Study of Texts in Connexion with Baal in the Ugaritic Epics. AOAT 10.1972.